LES SIGNES
DU ZODIAQUE
ET L'AMOUR

D. Sabadini

LES SIGNES DU ZODIAQUE ET L'AMOUR

DE VECCHI POCHE
20, rue de la Trémoille
75008 PARIS

Traduction de Odile Harrand

Introduction

L'Astrologie est une science fort ancienne, puisque les Assyro-Babyloniens, les Egyptiens et les Chaldéens faisaient déjà appel à elle pour obtenir présages et auspices. Elle joue, aujourd'hui encore, un rôle important, car elle aide l'homme à se retrouver en harmonie avec la nature et les forces du cosmos, syntonie que notre société technologiquement avancée nous a progressivement fait perdre.

On sait maintenant — de nombreuses recherches ont été effectuées dans ce domaine — que l'homme est sensible à des cycles planétaires précis, et que la position d'un astre ou d'un autre dans le ciel de naissance influence fortement son caractère, et détermine, du moins, en partie, les décisions qu'il va prendre dans sa vie et le domaine dans lequel il va canaliser ses propres énergies.

L'Astrologie peut donc aider l'homme à mieux se connaître, dans la mesure où, ayant pris conscience de la valeur profonde de la vibration planétaire de ses étoiles, il est capa-

ble d'approfondir, d'une certaine manière tous les aspects cachés de son caractère, de mettre en valeur les meilleurs et de triompher de ses faiblesses.
La classification des différents types astrologiques repose traditionnellement sur la position du Soleil au moment de la naissance: l'on dit qu'une personne appartient au signe du Lion lorsque le Soleil se trouve dans ce signe au moment de sa naissance.
Naturellement, le Soleil n'est pas seul dans le ciel à cet instant, il y a également toutes les autres planètes.
A chacune correspondent des énergies bien précises; chacune d'entre elles exerce une influence bien déterminée sur le caractère selon son emplacement dans le ciel.
Les planètes ne gouvernent pas le destin: ce sont les personnes elles-mêmes qui le régissent, mais elles peuvent le faire plus efficacement si elles sont conscientes des énergies qui interagissent avec elles et si elles connaissent les rythmes planétaires au sein desquels elles sont inconsciemment placées.
C'est en ce sens que l'Astrologie peut constituer un excellent moyen d'évolution et de développement personnel, permettant de mieux affronter les moments difficiles, aidant à mieux cerner les épreuves que nous devons surmonter.
L'Astrologie nous enseigne qu'il existe un équilibre général et un ordre naturel dans la succession des événements, mesurés par la grande horloge universelle qu'est le Zodiaque.
L'évolution de la vie ne s'effectue pas arbitrairement, notre Moi n'est pas l'entité confuse qu'il nous paraît être lorsque nous sommes troublés, désespérés ou déprimés.
Les douze planètes de notre système solaire nous envoient chaque jour leurs vibrations, leurs faisceaux d'énergie, et ces rayons cosmiques peuvent nous parvenir de manière douce, agréable, harmonieuse (aspect positif), ou sous un angle violent, dur, défavorable (aspect négatif).

De même que la voile tire profit du vent, il dépendra du caractère de chacun de recevoir de la façon qui convient, d'utiliser à son propre avantage et d'exploiter de la manière la plus appropriée l'énergie que la symphonie des planètes envoie à chaque individu.
Nous allons ainsi pouvoir nous bâtir, jour après jour, un destin meilleur, dans l'harmonie du tout et dans le respect des lois universelles. L'homme constitue une petite partie de l'univers mais, comme le rappelle le très ancien axiome hermétique du sage mythique Hermès Trismégiste, l'univers se reflète en l'homme: "Ce qui est en haut est comme ce qui est en bas [1]".

Quelques indications

Le Zodiaque est une zone de la sphère céleste qui entoure la terre et qui représente la trajectoire apparente que décrit le Soleil autour d'elle.
Graphiquement, l'Astrologie le représente par une circonférence divisée en douze secteurs, chacun de 30 degrés, à partir de l'équinoxe de printemps.
A chaque secteur correspond un signe du Zodiaque qui emprunte son nom à une constellation (Bélier, Taureau, Gémeaux, Cancer, Lion, Vierge, Balance, Scorpion, Sagittaire, Capricorne, Verseau, Poissons).
Les douze signes du Zodiaque étaient traditionnellement considérés comme les demeures du Soleil le long de sa trajectoire annuelle et des autres planètes que l'on connaissait alors.
Dans la représentation du Zodiaque, les signes se succèdent en sens inverse des aiguilles d'une montre.

[1] N.d.T. Premier verset de la Table d'Emeraude.

Les signes se subdivisent en signes *cardinaux* (les plus proches des points cardinaux), *mutables* (les plus éloignés), et *fixes* (en position intermédiaire).
Outre le Soleil et la Lune, les planètes auxquelles l'Astrologie attribue une influence sur le destin des hommes sont: Mercure, Vénus, Mars, Jupiter, Saturne, Uranus, Neptune, Pluton et les deux planètes dont on suppose l'existence, mais que la science n'a pas encore découvertes: X-Proserpine et Y-Eole. Selon la position qu'elles occupent dans le Zodiaque, on dit qu'elles se trouvent, dans les différents signes: en domicile, en exaltation, en exil ou en chute.
On dit qu'une planète est:

— en *domicile* dans le signe du Zodiaque où elle manifeste son influence de façon prédominante;

— en *exaltation* dans le signe du Zodiaque où elle exprime le plus fortement ses caractéristiques propres;

— en *exil* dans le signe du Zodiaque opposé à celui du domicile; dans le signe d'exil, ses influences sont moins marquées;

— en *chute* dans le signe du Zodiaque situé à l'opposé du signe d'exaltation: dans le signe de chute, les influences de la planète sont atténuées, et elles peuvent même subir des modifications.

Bélier

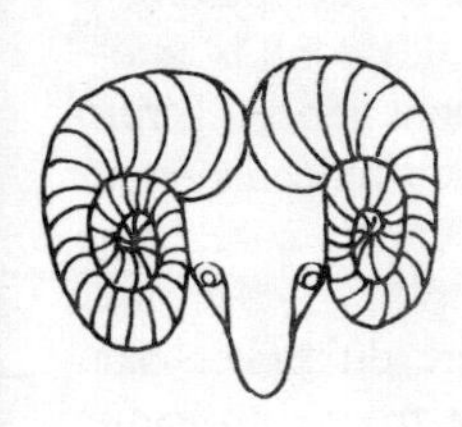

Du degré 0 au 30e degré du Zodiaque
Signe de feu, cardinal
Domicile de Mars et de Pluton
Exaltation du Soleil
Exil de Vénus
Chute de Saturne

L'entrée du Soleil dans le signe du Bélier, lors de l'équinoxe de printemps, marque le commencement de l'année solaire. En cette période, après le long sommeil de l'hiver, la nature s'éveille.

Le Bélier est le premier signe de feu. Son feu est aveugle et puissant, il brûle dans toutes les directions, risquant de s'épuiser rapidement. C'est le signe qui accompagne le réveil impétueux de la nature, qui éclate avec une grande vigueur, et c'est ainsi que se manifeste le tempérament du Bélier: impétueux, impulsif, fougueux, plein d'élan.

La planète guide du signe est Mars, que la mythologie grecque considérait comme la divinité de la guerre et qui se manifeste dans le Bélier comme le jeune et intempérant dieu du feu, belliqueux, plein de vie, constructif; le détachement, l'indifférence et la sérénité sont à l'opposé du tempérament du Bélier.

Mars représente symboliquement le caractère des natifs de

ce signe: combatifs et toujours engagés dans des situations de forte tension, dans des amours tumultueuses, des passions contrariées, des dissensions idéologiques et des conflits intérieurs. Spontanés, courageux jusqu'à l'inconscience, généreux jusqu'au sacrifice, ils sont cependant peu réfléchis et se demandent rarement si tant de luttes et d'efforts sont bien utiles.

On peut expliquer cette facette du caractère du Bélier par le fait que Saturne, planète de la raison, se trouve en exaltation dans le signe opposé, qui est celui de la Balance, de sorte que les forces de la raison sont en minorité dans ce secteur du ciel.

Le signe du Bélier est un signe printanier et dynamique: enclin à l'action, le Bélier se plaît à s'engager, à entrer en compétition et à combattre.

Un danger demeure cependant: l'énergie considérable conférée par la planète Pluton risque de se disperser, de perdre toute direction et, dans le pire des cas, de se transformer en une puissante arme de destruction.

Le Bélier possède en soi une puissante force créatrice. Il est donc celui qui entreprend le plus facilement des choses nouvelles: il est doué d'idées originales, est très actif et entreprenant; lorsqu'il sait canaliser correctement ses énergies, qui sont pratiquement inépuisables, il a la possibilité de rencontrer le succès dans presque tous les secteurs de la vie.

Le Bélier et l'amour

Sur le plan affectif, le Bélier, premier des douze signes du Zodiaque, est le plus simple et le plus cohérent.

Il a en lui et il exprime de façon exacerbée et complète les caractéristiques des signes de feu, car il a le Soleil en exaltation. Dans les relations amoureuses, il projette son Moi im-

pétueux et ses exigences sans tenir aucun compte de la réalité de l'autre. Par conséquent, il ne se montre dans ses élans ni calculateur ni intéressé; il s'abandonne à la fougue de la passion et aux sentiments; il est franc, ardent, direct.
Les amours les plus difficiles sont celles qui stimulent le plus fortement son instinct de lutte; plus elles sont irréalisables, plus le Bélier s'entête dans la conquête, ignorant la patience, la diplomatie et la douceur, qualités toutes liées à la planète Vénus, astrologiquement domiciliée dans la Balance, signe opposé au Bélier.
C'est par un coup de foudre que le Bélier tombe habituellement amoureux.
Il possède un caractère instinctif et porté à la passion; le désir l'emporte sur les sentiments et la tendresse; son impulsivité, sur le plan émotionnel, ne laisse aucune place à la délicatesse et à la sensibilité pure.
En amour, il se donne totalement, il ne regarde pas les défauts de la personne aimée, ni les difficultés que celle-ci peut lui faire connaître.
Au-delà de la vigueur et de la virilité dont il fait preuve, il possède cependant un côté enfantin, ingénu et puéril. L'amour est toujours une aventure qui le fascine et l'absorbe totalement.
Lorsqu'il se laisse dévorer par la passion, il se jette dans un tourbillon de rêves, de désirs et d'aspirations qu'il parvient rarement à surmonter et qu'il vit jusqu'au bout, jusqu'à l'épuisement complet de cette ardente exaltation.
L'émotivité du Bélier est extrêmement forte, mais épidermique et maintenue sous pression: très orgueilleux, le natif de ce signe ne désire pas que son état d'âme intérieur transparaisse et que se manifestent les violents sursauts qui le secouent. Mais pour se sentir vivant, il a toujours besoin de sensations et d'émotions fortes, de moments de joie aiguë et de moments d'angoisse. Il n'apprécie guère les demi-mesures, les

tons modérés, nuancés, délicats et tendres: tout cela constitue pour lui un symbole de décadence, de relâchement, de faiblesse et ne trouve aucun écho dans sa nature vigoureuse. Il oscille instinctivement entre le tout ou rien, et envisage difficilement les médiations qu'il ne désire d'ailleurs pas.
Sa vie est très intense, car l'émotion qu'il accumule en certaines occasions est telle qu'elle suscite chez lui des états d'âme paroxystiques et extraordinaires de bonheur ou de douleur selon les cas, et d'autant plus éphémères qu'ils sont intenses.
Il vit des instants de ferveur et d'emportement, suivis de crises dépressives: il ne voit pas les choses avec réalisme et un rendez-vous manqué peut susciter chez lui la panique la plus absolue, prendre des proportions gigantesques ou être vécu comme un traumatisme insurmontable.
Dans ces moments de douleur brûlante et de confusion mentale totale, le Bélier est souvent victime de son inconséquence et de son impulsivité.
Lorsqu'il croit que ses projets amoureux ont échoué, il se décourage et se laisse aller aux idées noires. Il a besoin d'un partenaire qui le soutienne, d'une part à cause de sa capacité à s'enflammer, d'autre part à cause de sa tendance au découragement total. S'il est seul, en effet, il ne parvient pas à faire le point d'une situation critique.
Malgré son exhibitionnisme et la grande estime qu'il éprouve pour lui-même, il a besoin d'être rassuré et d'avoir à ses côtés une personne qui lui donne une vision plus réaliste des choses.
Il part en quête d'un amour capable d'éveiller en lui des émotions intenses, pas nécessairement sur le plan sexuel, mais plutôt sur un plan émotionnel: il cherche une personne capable de le bouleverser et de lui faire perdre complètement la tête.
Il s'enflamme à l'idée d'avoir à conquérir la personne qu'il

aime. Comme il a besoin d'obstacles à surmonter, il peut se les créer lui-même.
Ses états d'âme sont extrêmement changeants et son caractère est assez instable.
Son tempérament direct et entier se traduit aussi sur le plan de la sexualité : il n'a guère de tact. Le natif du Bélier n'est pas un être doux, tendre et romantique; mais c'est un partenaire passionné, généreux, optimiste, dont la vitalité est contagieuse.

L'homme du Bélier

Nous avons déjà évoqué le caractère conquérant du signe, et en effet, l'homme du Bélier commence toujours une histoire d'amour avec un enthousiasme considérable.
Il possède un grand pouvoir de séduction et il est très difficile de résister à ses attaques.
Il est convaincu que quand une femme dit "non", elle a en réalité l'intention de dire "oui"; il vit ses relations amoureuses comme si chacune d'elles était unique, exaltante, très belle, bref, comme s'il s'agissait du "grand amour".
L'impulsivité et la hâte du Bélier sont proverbiales : il veut tout et tout de suite. Naturellement, plus le feu brûle intensément, plus il s'éteindra vite.
Il a un comportement très actif; il se plaît à jouer le rôle de l'amoureux impétueux, il sait donner à la femme aimée l'impression qu'elle est unique et inaccessible et il aime penser qu'il constitue pour elle la personne la plus importante au monde.
C'est lui qui prend en mains les rênes de la vie du couple, et cela tant sur un plan physique que moral car, comme dans la vie de tous les jours, il veut avoir la maîtrise absolue et incontestée de la situation.

Le Bélier rêve parfois d'être considéré par sa partenaire comme une sorte de héros mythique, et plus il se sentira noble à ses yeux, plus il l'aimera.
Le type inférieur ou moins évolué peut cependant arriver à considérer la femme comme le "repos du guerrier" : chaque fois qu'il revient de ses "batailles" pour la vie, il désire trouver une femme qui l'attende et qui soit prête à satisfaire ses désirs.
De toute façon, l'homme du Bélier veut qu'on lui donne de l'importance et il faut lui donner l'occasion de se montrer viril et de jouer le premier rôle.
Ses ennemis mortels sont l'ennui, la monotonie, le silence; en effet, après les élans initiaux, lorsque son énergie affective, amoureuse et sexuelle s'épuise vis-à-vis de la femme aimée, il a tendance à se laisser prendre par d'autres centres d'intérêt, par l'idée d'autres conquêtes qui lui paraissent plus stimulantes à ce moment-là.
L'inégalité de son caractère et son extrême propension à s'enflammer font de lui un infidèle.
Sa femme idéale doit être psychologiquement indépendante, tout en paraissant soumise. Elle doit en outre être capable de créer à l'intérieur du ménage une atmosphère de rivalité suffisante pour provoquer les tensions et les escarmouches amoureuses dont il a absolument besoin pour se sentir vivant.

La femme du Bélier

Elle possède une forte personnalité, une intelligence et une force de caractère remarquables. D'esprit très ouvert, elle a tendance à résister fermement aux limitations que la société patriarcale impose à la femme.
Elle préfère souvent rester libre et autonome.

La native du Bélier envisage la vie d'une façon positive et elle pose un regard optimiste sur le monde.
En amour, elle sait donner à l'homme qu'elle aime la sensation qu'il est l'être le plus intéressant de la terre : elle a besoin d'un partenaire très actif et engagé dans ce qu'il fait; elle éprouve habituellement le besoin de le mettre à l'épreuve, car elle méprise les faibles et les perdants.
Cette attitude à l'égard de l'homme la place parfois dans une situation difficile vis-à-vis de l'être aimé : si c'est elle qui triomphe, elle perd toute estime pour son ami ou son amant, toute confiance en lui et doit donc provoquer une rupture; mais si c'est lui qui gagne, le couple traversera une crise car elle ne supportera pas d'avoir perdu.
Elle est despotique et, comme une enfant gâtée, voudrait toujours que les choses se passent selon ses désirs. Elle parle souvent d'un ton quelque peu arrogant, franc et inquisiteur.
Elle cherche à être rassurée par l'être aimé, mais en même temps, elle veut être la première, la meilleure, et elle ne supporte pas du tout une relation dans laquelle elle a l'impression de ne pas être suffisamment estimée ou dans laquelle elle se sent surveillée.
Elle aime beaucoup faire la cour et diriger ses relations amoureuses, se lançant presque un défi à elle-même, par une sorte de jeu lui permettant de mesurer ses capacités à triompher des autres.
Elle a une personnalité presque masculine et il lui est extrêmement facile de comprendre la mentalité d'un homme et d'instaurer avec lui des relations amicales.
Elle tombe facilement amoureuse, non pas tant de la personne en soi que de l'idée de l'amour, et elle ne sait pas toujours faire la distinction entre un sentiment durable et un engouement sans lendemain.
Mais lorsqu'elle rencontre l'amour, sa féminité s'épanouit

et il émane d'elle une vitalité, une énergie positive et de l'orgueil. Elle se jette la tête la première dans les expériences amoureuses car de toute façon, que les choses tournent bien ou mal, elles constitueront pour elle une occasion de changer complètement de vie, de faire un point complet sur elle-même.
Lorsqu'elle est amoureuse, elle parvient à s'ouvrir à ses émotions, au point qu'elle devient plus patiente, plus tolérante, plus indulgente avec elle-même et avec les autres.
L'homme qu'il lui faut doit être calme et tolérant, et surtout il doit avoir profondément conscience de la masculinité et de sa force, afin d'accepter de bonne grâce les inévitables prises de bec.
La native du Bélier n'est absolument pas ennuyeuse et, grâce à son dynamisme et à son imagination, elle saura trouver constamment de nouveaux moyens de stimuler agréablement la vie de couple.
Celui qui sait l'apprécier pourra trouver à ses côtés des encouragements pour entreprendre de nouvelles expériences et continuer à développer son potentiel humain : elle demande à son partenaire d'être capable de lui offrir sa solidarité et de l'aider à reconnaître et à accepter ses faiblesses. Il doit aussi être capable de lui arracher son masque de dureté pour arriver à comprendre la grande vulnérabilité et le manque d'assurance qu'il cache et de lui faire prendre conscience de ses qualités. En échange, la femme du Bélier saura toujours l'enthousiasmer et lui donner la sensation qu'il est une personne unique et merveilleuse, ce qu'elle pense d'ailleurs véritablement.

Comment il conquiert

La stratégie qui lui est la plus chère est celle du siège.

Ce signe astrologique étant mythologiquement lié à Mars, dieu de la guerre, c'est dans l'attaque que le natif du Bélier dégaine ses meilleures armes. Quand il se déchaîne, ne serait-ce que pour se prouver qu'il ne peut pas perdre, les armes de prédilection qu'il utilise dans cette guerre sont les courses folles dans des voitures de sport très rapides, les cadeaux, les merveilleux bouquets de fleurs, les invitations surprises dans les endroits les plus à la mode.
De toute façon, la victime choisie sera véritablement prise d'assaut et fera l'objet d'une cour assidue qui se situera à la limite de la persécution; en général, la femme courtisée ne parvient pas facilement à se débarrasser de ce soupirant infatigable. Mais il est aussi possible qu'une fois son objectif atteint, lorsqu'il a conquis la femme de ses rêves, le natif du Bélier se désintéresse d'elle, ayant épuisé toutes ses ressources et la totalité de son énergie pour la conquérir.
Il est impulsif, jaloux, passionné, intransigeant.
Il devrait apprendre à se laisser porter par le courant naturel de la vie et lui permettre de se dérouler normalement, au lieu de manipuler sans cesse hommes et choses et de provoquer les événements.
Si les circonstances et le caractère de la femme le lui permettent, la vie du couple, tant qu'elle durera, sera baignée dans un climat d'amour enflammé et exubérant.

Comment le conquérir

Ne vous intéressez pas trop à lui et entourez-vous constamment d'une auréole de réserve et de mystère. Accordez-lui un peu d'attention, mais pas trop, et surtout, faites-le de manière irrégulière, afin de le désorienter et d'éveiller sa curiosité. Il se sentira ainsi encouragé à susciter votre intérêt. Evitez absolument de l'étouffer de tendresse, de vous mon-

trer serviable; c'est un ardent et les attitudes doucereuses, comme le sentimentalisme, l'ennuient.
Il n'est pas très sensible et ne comprend guère les émotions des personnes qui se trouvent à ses côtés. Il veut généralement avoir raison et est enclin à poursuivre des discussions vives dans le seul but d'affirmer son point de vue.
Si vous n'êtes pas d'accord avec lui, la meilleure chose à faire est de le laisser dire et agir à sa guise, d'attendre que sa colère se calme et que sa crise d'orgueil passe. Reprenez ensuite la discussion à un autre moment et sous un autre angle.
Ne lui reprochez jamais ses erreurs passées, car sa personnalité est projetée vers l'avenir et il n'aime pas regarder en arrière. En outre, ce serait inutile car, orgueilleux comme il l'est, jamais il ne reconnaîtrait ses erreurs devant vous, étant donné qu'il ne parvient à les admettre que devant lui-même.
A sa compagne, il demande ce qu'il n'a pas: de la diplomatie et un soutien moral face à son humeur changeante.

Comment elle conquiert

La native du Bélier possède un caractère impulsif, naïf, audacieux et candide. Elle ne réfléchit pas aux revers compliqués des aventures dans lesquelles elle se jette.
Le feu du Bélier se trouve au comble de son irréflexion et de son refus de l'expérience.
Si une relation amoureuse vacille, elle ne s'arrête pas pour réfléchir à son erreur et en tirer les enseignements, mais elle occulte inconsciemment dans son esprit les difficultés passées, risquant ainsi de retomber dans les mêmes travers.
Douée d'une grande audace, elle se lance dans les aventures amoureuses comme on part au combat. Elle oblige la personne qu'elle a choisi d'aimer à être ce qu'elle souhaite, au-

trement dit un être extraordinaire, hors du commun, un vainqueur, car c'est ainsi qu'elle l'a idéalisée.
Elle est irrésistible : elle a en elle les éléments de la nature qui éclate, un feu irrépressible qui parvient à entraîner les personnes qu'elle désire séduire.
Elle aime les risques, et le jeu de l'amour si elle doit triompher de dangereuses rivales.
Elle devrait apprendre à faire preuve de plus de sensibilité et de patience, à tenir davantage compte de l'aspect tendre de sa personnalité, de sa capacité à recevoir.
Elle est beaucoup moins irrégulière que le natif masculin du signe, et si elle peut avoir de nombreuses aventures, elle ne tombe profondément amoureuse que très rarement.
Elle doit aussi prêter plus d'attention à sa vie intérieure, ne pas opposer de résistance, mais apprendre à vivre avec ses peurs, à ne pas demander seulement une aide pratique à son partenaire, mais aussi un soutien affectif, car elle a surtout besoin de ce dernier.
Sur le plan sexuel, elle possède une charge érotique très développée qui la fait passer de la domination très vive à la passivité. Elle a besoin d'une forte stimulation mentale qui suscite l'attirance physique. Elle déteste la routine sexuelle qui éteint tout désir en elle. Elle préfère les attaques vigoureuses et énergiques et n'aime guère les préliminaires trop prolongés.
Elle possède une imagination très fertile et agressive, et se voit naturellement dans le rôle de celle qui domine.

Comment la conquérir

Ne vous présentez jamais à elle en lui disant que vous êtes un être supérieur, que vous avez remporté tel grand prix automobile ou tel slalom.

C'est à elle de comprendre indirectement, à travers vos propos désinvoltes et votre attitude, qui vous êtes vraiment.
Si vous commettez l'erreur dont on vient de parler elle commencera immédiatement à se mesurer à vous pour vous prouver qu'elle peut mieux faire que vous, faisant ainsi échouer vos plans. Lorsque vous serez parvenu à lui apparaître comme un être d'exception, capable de mettre en œuvre de grandes entreprises, audacieux, alors, ce sera à son tour de partir à l'attaque.
Il sera très facile d'être son ami, car elle s'entend bien avec les personnes du sexe masculin. Elle adore les hommes d'action, avec lesquels elle partage une vie pleine d'imprévus et de nouveautés qu'elle accepte toujours avec enthousiasme.
Souvenez-vous de sa devise: "L'inaction m'empoisonne." Montrez-vous donc toujours exubérant, dynamique, débordant d'énergie, et surtout, soyez toujours psychologiquement prêt à entamer avec elle n'importe quel genre d'entreprise nouvelle et imprévisible.

Comment le quitter

Il est très difficile de se débarrasser d'un natif du Bélier, car c'est précisément au moment où il s'aperçoit que vous lui échappez qu'il s'entête à vous faire une cour assidue. Si vous le lui dites de manière franche et directe, il ne vous croira jamais. Il devient alors nécessaire de ne plus vous intéresser à lui, de donner des signes d'ennui, de froideur et d'indifférence à son encontre. Vous pouvez aussi vous afficher avec lui, parler de vous, de vos projets et de vos succès, en accordant une importance exagérée à vos propres entreprises, le faisant ainsi passer au second plan: cette attitude donne naissance à ce qu'il considère comme une grosse humiliation. Autre moyen de se libérer: devenir larmoyante, mièvre, l'étouffer de prévenances: il déteste les minauderies et s'enfuira à toutes jambes.

Comment la quitter

Là encore, le problème est difficile à résoudre, dans la mesure où plus la conquête est ardue, plus la native du Bélier échaufaude des stratégies complexes. Pour se débarrasser d'elle, on peut lui rendre la vie terriblement facile, en lui laissant croire que l'on est complètement conquis et fasciné par elle. Tout ce qui n'est pas difficile à réaliser perd immédiatement tout intérêt à ses yeux.
On peut aussi lui faire croire que l'on est un faible et un perdant et que l'on n'est pas fait pour la lutte pour la vie. Cette révélation va la bouleverser à tel point qu'elle ne pourra s'empêcher d'éprouver une profonde pitié pour un être aussi mou et défaitiste, incapable d'affronter la vie avec de la grandeur d'âme, du courage et du mordant. Car pour elle, répétons-le, l'homme idéal est un héros, un chevalier sans peur et sans reproche.

Comment ils rompent

Quand vous vous apercevez que le Bélier ne vous écoute plus, qu'il n'essaie plus de vous dominer et de s'imposer vis-à-vis de vous, alors, vous pouvez être certain que les choses vont mal. Pour ce signe, l'amour est en effet un champ de bataille, et l'existence de "désaccords" sur les détails de la vie à deux (amour, travail, vacances) constitue un signe de vivacité et de santé de la relation amoureuse. Le Bélier tire son énergie des échanges violents et des luttes. Par conséquent, lorsqu'il devient accommodant, vous donne raison et vous laisse prendre vos décisions en toute liberté, vous ne vous trouvez probablement plus au premier plan de ses intérêts.

Malgré les mille précautions dont il faut s'entourer et toutes les ruses auxquelles il faut avoir recours pour se libérer de lui, il n'est pas facile de lui faire changer d'avis s'il a décidé de vous quitter. Lorsqu'il veut rompre, le Bélier, qu'il soit homme ou femme, est inébranlable, et rien ne pourra le faire changer d'idée, ni les pleurs, ni les larmes, ni les discussions, ni même le bon sens.

Taureau

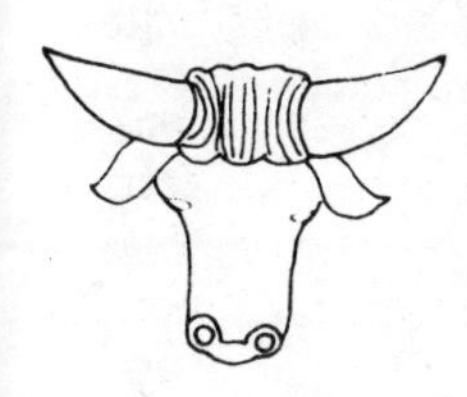

Du 30e au 60e degré du Zodiaque
Signe de terre, fixe
Domicile de Vénus
Exaltation de Jupiter
Exil de Mars et de Pluton
Chute de Mercure

Au moment où le Soleil entre dans le signe du Taureau, en passant du 30e au 60e degré du Zodiaque, le cycle de la vie végétale est déjà bien en route; le printemps se trouve dans une phase plus stable. Situé au milieu d'une saison, le Taureau est un signe qui a des caractéristiques d'équilibre.

Au feu destructeur et fécondant du Bélier fait suite une période d'activité pacifique, au cours de laquelle l'individu peut disposer de toutes les ressources de la nature: c'est de là que vient l'attitude réceptive et optimiste du natif du Taureau, en grande partie orientée vers les joies de la vie, de l'amour, du plaisir, du contact avec le milieu qui l'entoure et la nature.

La planète guide du Taureau est Vénus, que l'Astrologie classique a toujours attribuée également à un autre signe important: la Balance.

Dans le signe du Taureau, Vénus est la déesse de l'amour; elle est le symbole de la fertilité. Elle est aussi la déesse de la beauté. Chez les Romains, elle protégeait l'amour physique considéré comme expression de la vitalité et de l'exubérance. Mais son pouvoir s'étendait aussi aux biens matériels, aux marchandises et aux affaires commerciales. C'est pourquoi le Taureau est sensible aux biens matériels.

En effet, les natifs de ce signe désirent généralement profiter de la manière la plus simple et la plus directe possible des occasions de bonheur que la vie peut leur offrir. Une vie dure, sans confort et sans distractions, les rend sombres et les frustre. De nature réfléchie, ils sont capables de pondération et de concentration et doués d'un solide équilibre intérieur.

Ils possèdent de grandes capacités de travail et de résistance physique et psychique face aux difficultés.

Comme il s'agit d'un signe de terre, ils parviennent à orienter leur intelligence vers des objectifs très concrets, et ils réussissent grâce à leur extraordinaire capacité de travail. Les planètes Vénus, déjà citée, et Jupiter, leur confèrent un grand amour pour la nature, pour ne pas dire une profonde communion avec elle. Ils donnent une grande importance aux valeurs de la famille et de la tradition. Pour eux, la continuité de la vie réside dans la procréation, d'où leur désir de stabilité et de sécurité pour assurer l'avenir de leurs enfants.

Les Taureaux sont en général méthodiques, patients, tenaces, prudents dans leurs amitiés et face aux nouveautés, peu sensibles à l'orgueil et au prestige personnel. Ils sont en revanche très absorbés par les objectifs proposés par leur volonté de réalisations concrètes, par l'affection et par le désir de sécurité et de bien-être matériel, comme le leur suggère Jupiter, en exaltation dans leur signe.

Ils ne sont pas agressifs car Mars, le belliqueux, est en chute dans leur signe, puisqu'il est domicilié dans le signe opposé, le Scorpion. Signe fixe, le Taureau risque cependant de subir un processus de lente accumulation de tension qui peut exploser de façon irrésistible dans les circonstances les plus déplacées.

Le Taureau et l'amour

Après les natifs du Bélier, instinctifs et aimant le jeu, les natifs du Taureau paraissent plus absorbés par l'épanouissement de leur goût pour la vie et la sécurité, ainsi que par leur désir de posséder les biens de ce monde.
Ils s'attachent avec ténacité à réaliser la sécurité de son entourage et le confort matériel de celui-ci.
C'est un signe de terre, d'où ses caractéristiques de solidité et de stabilité. Les impressions qu'il reçoit pénètrent lentement sa psyché et peuvent conditionner et influencer sa conduite au fur et à mesure que le temps passe.
Le Taureau vit les expériences du présent comme s'il les regardait à travers le filtre des expériences passées, et, dans le domaine de l'amour, son vécu sentimental a sur lui une incidence importante : il laisse en lui des empreintes durables. Les événements lui laissent des séquelles, des émotions qui creusent un sillon dans la profondeur de son être qui repense, réfléchit, rumine sans cesse le passé.
Il demeure longtemps sous le coup d'une émotion, sous l'effet d'une douleur ou d'un affront.
En amour, il est constant et fidèle, soumis à ses habitudes, attaché au déroulement presque invariable de ses journées.
Signe de l'apogée du printemps, le Taureau représente symboliquement le moment où le cycle cosmique, qui a commencé avec le Bélier, se concrétise, le moment où l'énergie vitale se nourrit grâce à la terre et devient sève et végétation.
Le Taureau est donc capable de persévérer dans une direc-

tion bien déterminée, de mener à bien une entreprise avec une énergie soutenue : il aime se sentir en bonne santé, instinctif, en contact direct avec la nature et en syntonie avec l'harmonie universelle.
Il tombe lentement amoureux, sans presque s'en rendre compte, mais l'amour est extrêmement important pour ce signe gouverné par Vénus, qui prend ici l'aspect d'une déesse charnelle, féconde et terrestre.
Il est donc la personnification même de l'amour, du sentiment, de la tendresse, de la douceur, de l'affection.
Sa nature voluptueuse, à la fois tendre et passionnée, le rend enclin à des amours profondes. Il réunit les deux pôles complémentaires de l'amour : sentiment et désir charnel.
Alors que pour son signe opposé, le Scorpion, la turbulence martienne peut provoquer le tourment d'une dichotomie affective et une attirance purement sexuelle, le Taureau n'est pas compliqué : il peut soudainement se retrouver amoureux et éprouver avant tout des sentiments naturels qui l'absorbent complètement.
Contrairement au Bélier, il ne se jette pas dans l'amour la tête la première, mais s'y laisse prendre peu à peu, presque inconsciemment, insidieusement. Son être s'imprègne progressivement du sentiment amoureux, de même qu'un petit torrent de montagne se transforme en fleuve sans rupture.
Lorsqu'il s'aperçoit qu'il est irrésistiblement amoureux, il se laisse aller à la passion en imprégnant son être des sensations qui lui viennent de la personne aimée : une fois que l'on a pris son cœur, on peut être certain qu'il ne fera jamais volte-face. Il vivra jusqu'au bout son histoire d'amour, qu'elle soit heureuse ou non.
Le fait qu'il soit un signe de terre lui confère une stabilité affective étonnante, une fidélité durable à ses sentiments et suscite chez lui une attitude de possessivité et de jalousie qui se manifeste à travers l'attachement à la personne aimée.

Il est sensible à toutes les impressions, à l'attirance physique, au parfum, aux regards, à la façon de faire de la personne aimée. Au fond de lui-même, il rêve d'appartenir complètement à son partenaire, et il faut rappeler à ce propos qu'en tant que signe de terre, il est doué de cette réceptivité qui attire l'énergie, qu'il veut absorber pour en être saturé. Mais en même temps, il désire posséder l'autre comme s'il s'agissait d'un bien personnel, d'une propriété qu'il surveille jalousement.
Sur le plan sexuel et affectif, il a besoin de marques d'affection non négligeables; avide de douceur, de tendresse, de sensualité, romantique, il est prêt à rêver et à se rappeler les moments sentimentaux passés.
Son incapacité à se détacher des habitudes qui lui sont si chères et à accepter l'inévitable changement des événements limitent son action. Sa lenteur et le fait qu'il réfléchit beaucoup l'empêchent parfois de prendre des décisions en temps voulu; il a du mal à comprendre à quel moment il peut libérer sa colère et défouler sa frustration.
Derrière une façade calme et patiente, il dissimule et enfouit ses blessures, ses affronts et ses douleurs, qui vont un jour ou l'autre provoquer chez lui un engorgement des circuits psychiques, les faisant éclater plusieurs mois, plusieurs années après les événements qui en sont la cause.
La circonstance qui est à l'origine de l'explosion constituera alors la fameuse goutte qui fait déborder le vase.
Ce qui limite également ce signe est sa façon de vivre la spiritualité à la manière d'un Dionysos, spiritualité qu'il ne parvient pas à exprimer en termes de pureté abstraite, mais qui demeure toujours bridée par une tension frénétique et confuse vers l'infini et qui ne parvient pas à se détacher de la matière. Le natif du signe fait preuve d'une attitude vitaliste et instinctuelle tant à l'égard des choses supérieures que face aux choses inférieures.

L'homme du Taureau

L'analogie, avec la fertilité de la terre et l'abondance de la végétation qui marquent la période zodiacale au cours de laquelle le Soleil traverse le signe du Taureau, nous ramène à la sexualité impérieuse et désordonnée du natif de ce signe. Voluptueux et orgiaque, tendre, charnel, passionné, il recherche le plaisir sous toutes ses formes. De caractère facile et accommodant, il a besoin d'une base solide sur laquelle bâtir, d'un point de départ concret ou affectif, d'une maison ou d'un appui spirituel.
Il a besoin de posséder tant les personnes que les choses, il désire manipuler les ressources matérielles de la vie pour en tirer sécurité et confort.
Il est avide d'expériences sensorielles et possède en général une vue, un odorat et un toucher extrêmement aiguisés. Par ailleurs, le sens du goût revêt une importance particulière chez le natif du Taureau: il aime bien manger et apprécie les mets savoureux et relevés.
Il aime parler, brosser les histoires à riches coups de pinceau, par des expressions qui réussissent à évoquer les scènes et les personnages de façon plutôt éloquente et descriptive.
Il a presque toujours une belle voix, masculine et profonde, chaude et vibrante. Il est en général doté d'une beauté vénusienne qui séduit par sa douceur et son affabilité; il émane de lui une sensibilité rassurante et protectrice.
Il est attiré par les plaisirs simples, comme une sexualité satisfaisante et la bonne compagnie; il aime le milieu dans lequel il vit, il se plaît aussi à recevoir chez lui ses amis et les membres de sa famille.
Il n'apprécie pas les aventures sentimentales, il se garde de faire des explorations risquées et se contente d'expériences quotidiennes qui ne doivent comporter aucun élément de tension, car il éprouve de la répulsion pour tout ce qui lui

paraît déviation de la nature. Passionné et jaloux, il ne supporte pas les rivaux et préfère les unions solidales; naturellement, il demande aussi à sa compagne sérieux et fidélité.
Il exprime ses sentiments amoureux d'abord par le sexe, car il a besoin de disposer de beaucoup de temps pour pouvoir s'exprimer pleinement. Naturellement paresseux, il est attiré par l'oisiveté qu'il organise parfois si parfaitement qu'elle apparaît comme un travail. Il applique aux relations amoureuses la ténacité et la patience qui le caractérisent dans le travail.
Toujours attentif au bien-être de ceux qui l'entourent, il s'attache profondément aux membres de sa famille, et en particulier à sa compagne qu'il parvient à considérer rigoureusement comme sa moitié, mais aussi comme sa propriété exclusive.
Il a besoin d'une femme qui ne soit pas trop indépendante, qui se laisse guider, et qui ait pleinement confiance en ses capacités, car le natif du Taureau ne peut donner le meilleur de lui-même que s'il est pleinement accepté.
Mais sa femme devra, au fur et à mesure qu'il se sent plus sûr de lui et qu'il se réalise intérieurement et dans la vie quotidienne, l'aider à se détacher lentement des préoccupations matérielles et l'orienter progressivement vers une plus grande ouverture d'esprit.

La femme du Taureau

Le Taureau étant un signe qui exprime mieux que les autres la fertilité et la fécondité de la terre mère, la native de ce signe du fait précisément qu'elle incarne ce principe féminin, rappelle l'idée d'une "déesse de la terre".
Sensuelle, séduisante, belle, radieuse, elle s'habille souvent

avec élégance et aime se parer de bijoux, utiliser des parfums et se montrer.
Outre son physique très séduisant, elle possède une voix musicale, aux riches sonorités.
Elle utilise ses grands yeux charmeurs pour envoyer, parfois timidement et inconsciemment, des messages d'amour à celui qui a frappé son imagination fertile. Excellente cuisinière, elle aime recevoir et possède un goût raffiné.
En tant que maîtresse de maison, elle désire s'entourer des objets les plus rares et des personnes les plus intéressantes.
Comme pour le natif masculin de son signe, la femme Taureau, sous l'influence de Vénus, apprécie énormément le monde physique : elle aime les formes harmonieuses, esthétiques et proportionnées, et comme elle est réceptive, se plaît à éprouver et à savourer profondément les sensations qu'elle reçoit de ses cinq sens.
Elle aime les joies simples et naturelles : les couleurs de la nature, la splendeur et la chaleur du soleil, le contact de l'air et du vent sur sa peau.
Elle est extrêmement possessive vis-à-vis des êtres qu'elle aime, ainsi que pour tous les objets qui lui appartiennent. Elle veut que nul ne s'approche trop de ceux qu'elle aime, amis et famille compris, parce qu'elle craint qu'on les lui vole ou qu'on les blesse. Il est extrêmement dangereux d'essayer de la supplanter ou de pénétrer sur le territoire de son amour car elle déchaînerait alors sa colère dans toute sa fureur taurine.
Sa forte nature vénusienne lui permet d'entourer l'être aimé d'une sorte de coquille de protection, de le couvrir d'affection, de prendre soin de lui, car elle a la ferme conviction qu'elle seule peut le faire et qu'elle est irremplaçable.
Elle a besoin de recevoir beaucoup d'affection et d'être dorlotée pour s'exprimer pleinement dans le domaine sexuel, sa nature pouvant être qualifiée de directe et dépourvue de

complications. La passion ardente et l'affection qu'elle éprouve pour son compagnon ne concernent pas seulement l'aspect physique, mais aussi l'aspect mental. Bien qu'elle apprécie toutes les manifestations de la sexualité, ce sont la chaleur et l'affection qui en découlent qu'elle désire véritablement. Elle est tenace, affable, parfois quelque peu pompeuse et imbue d'elle-même. Elle n'est pas très sensible aux exigences psychiques, émotionnelles et intellectuelles des autres, qu'elle ne parvient que rarement à comprendre, et elle estime que tout ce qui est valable pour elle l'est aussi pour son entourage. Elle a tendance à ériger en dogme ses opinions personnelles et à s'accrocher à de vieux concepts, même si elle sait qu'ils ont perdu toute valeur intellectuelle. Il lui est très difficile de changer.
Quand elle aime, elle estime savoir ce qui convient le mieux à son partenaire, et elle comprend difficilement qu'elle ne peut prendre en mains le destin des autres et qu'elle doit accepter le fait que chacun est responsable de soi.
Elle a besoin d'un homme qui sache refléter sa force et sa stabilité émotionnelle. Pour elle, l'être idéal doit à la fois être tendre, sensible, imaginatif et s'intéresser à l'avenir.
Elle est attirée par les hommes brillants, séduisants, sensuels, qui doivent cependant être capables de lui donner la sécurité émotionnelle et matérielle dont elle a besoin. Son compagnon devra, par des sollicitations indirectes, l'inciter à se détacher de sa maison et de tout ce qu'elle possède, éléments auxquels elle tient si fortement, et l'encourager davantage à développer son sens artistique inné.

Comment il conquiert

Lorsque le natif de ce signe se décide à conquérir une femme, il y a déjà réfléchi sérieusement, a pesé le pour et le

contre et a conclu qu'il a trouvé chaussure à son pied. Il ne croit pas au coup de foudre et la femme qu'il a choisie va certainement lui fournir le minimum d'assurance et de sécurité en matière de fidélité, dont il a tant besoin.
Il vous conquerra par sa tendresse, sa douceur, son raffinement, ses regards complices. Il courtise patiemment, attendant que sa belle tombe dans ses bras, en douceur. Il ne manquera pas de vous inviter à dîner ou à l'accompagner à des concerts, car il est mélomane. Il vous emmènera à la campagne, car il adore la nature, la végétation, les plantes.
Il déteste le gaspillage et il a une haute idée de l'argent.
C'est ainsi qu'il n'aime pas avoir des dettes, qu'il fera toujours un choix judicieux des cadeaux qu'il vous offrira, cadeaux qu'il choisira surtout utiles et fonctionnels, par exemple un livre de cuisine extrêmement raffiné, afin que vous deveniez un cordon-bleu et que vous puissiez l'attirer par la gourmandise...

Comment le conquérir

Efforcez-vous surtout d'être belle, élégante, gentille, gracieuse, séduisante et parfumée. Il est d'une extrême sensibilité pour tout ce qui concerne le naturel.
Il conviendra alors de toujours faire émaner de vous un parfum de savonnette, de linge propre et de lavande. Ne lui prouvez pas que vous êtes indépendante et demandez-lui de vous protéger; aimez la nature, les fleurs, les plantes, considérez-les comme ce qu'elles sont, c'est-à-dire comme des êtres vivants qu'il faut soigner et aider à pousser.
Apprenez le nom des herbes, des arbres et des animaux, que vous irez voir ensemble au cours de la promenade à la campagne à laquelle il vous invitera.
Montrez-lui votre attachement à la famille, aux traditions.

Enthousiasmez-vous lorsqu'il vous présentera ses neveux, ses grands-parents, ses oncles et ses frères.
Il est bon, doux, sensuel, et il n'est pas difficile de le conquérir. Toutes les petites flatteries que les femmes font habituellement ont prise sur lui : il appréciera grandement vos cheveux magnifiques et soignés, vos regards langoureux, apeurés ou désarmés, vos mains lorsque vous préparerez savamment pour lui des mets exquis et les lui servirez sur une table très raffinée.
Mais votre coquetterie devra rester pure dans ses intentions, sinon, vous risquerez d'éveiller ses soupçons. Auquel cas il ne se sentira plus à son aise, et vous aurez perdu l'occasion de faire la conquête de votre Taureau.

Comment elle conquiert

Prudente, sage et instinctive, elle n'a guère besoin de faire des expériences; elle utilise directement sa volonté de fer pour atteindre les objectifs amoureux qu'elle s'est fixée et qu'elle poursuit avec obstination. De la même façon, elle ne se laisse pas facilement détourner de ses buts sentimentaux et de ce qu'elle veut atteindre, si elle est suffisamment motivée. La manière dont elle conquiert repose sur sa grande capacité à impliquer la personne aimée en l'entourant de tendresse et de douceur. A cet égard, elle agit comme son homologue masculin. Elle devra éviter d'investir ses sentiments dans des personnes qui ne le méritent pas vraiment. Eternelle optimiste, elle est convaincue que si elle aime suffisamment longtemps une personne, son amour sera un jour partagé. Mais c'est rarement le cas. C'est par sa faute qu'elle échoue : dans ces circonstances, son entêtement et sa ténacité l'empêchent toujours d'évaluer objectivement les autres personnes.

Comment la conquérir

Comblez-la de tendresse et d'attentions, laissez-la vous raconter patiemment tout ce à quoi elle désire vous faire participer, mais n'oubliez pas que la native du Taureau est particulièrement attirée par ceux qui sont en mesure de lui procurer une stabilité et une sécurité matérielle. Outre l'affection qui lui est nécessaire, elle a besoin de s'entourer de tous les beaux objets qu'elle désire posséder, mais elle constitue une excellente compagne pour ceux qui savent apprécier les meilleures choses de la vie. Elle apprécie les relations amoureuses saines, sereines et durables, mais elle met parfois longtemps à comprendre si un prétendant est sérieux ou non. Elle croit aux amours qui durent toute une vie. C'est un être doux, tranquille, ayant des qualités de femme d'intérieur, qui aime se réunir avec les membres de sa famille et organiser avec eux des repas pour Noël.
Elle explose lorsqu'elle découvre que celui qui l'aime l'a trompée ou bien qu'il a profité d'elle. En amour, elle exige la loyauté qu'elle offre.
Pour la conquérir, on peut avoir recours aux petits trucs dont nous avons parlé pour son homologue masculin, mais n'oublions pas non plus qu'elle est très romantique et sentimentale: l'émouvante cérémonie d'un mariage, un beau souvenir d'amour la feront pleurer à chaudes larmes. Si vous lui envoyez une seule rose qui embaume, elle vous aimera toujours et son imagination la transformera en vases de fleurs magnifiques et merveilleuses. Sachez donc la comprendre et partager ses émotions.

Comment le quitter

Il est extrêmement difficile de se faire abandonner par un

natif du Taureau, parce qu'il a tendance à vous considérer comme sa propriété. Commencez par ne plus lui donner la tendresse et l'affection qu'il vous demande, soyez froide, distante, indifférente à son égard. Rendez-vous indépendante et faites-lui comprendre que vous n'avez pas besoin de sa protection, proclamez que vous êtes une féministe fervente; provoquez-le en faisant fi de son grand respect pour l'argent: livrez-vous à des dépenses inconsidérées.
Achetez surtout des choses inutiles et superflues dont vous vous débarrasserez rapidement en les donnant ou en les jetant. Exigez des cadeaux coûteux et de valeur, faites-vous inviter dans les endroits les plus en vogue et commandez les mets les plus chers et les plus raffinés.
Mais, malgré tout cela, il n'est pas dit que vous réussissiez à le quitter s'il est particulièrement entêté. Vous devrez de toute façon vous montrer plus tenace que lui, ce qui est pratiquement impossible pour n'importe quel autre signe du Zodiaque.

Comment la quitter

Cessez de lui faire des compliments et d'apprécier toutes les attentions dont elle vous entoure. Evitez soigneusement de faire tout ce qui peut lui donner sécurité et stabilité. Dites-lui que vous ne croyez pas en la famille, que vous ne voulez pas d'enfants, que les réunions de famille vous ennuient mortellement, que vous n'aimez ni les animaux ni les plantes, et que s'en occuper constitue une perte de temps pure et simple.
Affirmez que vous rêvez d'une vie de bohème, que vous aimez les situations précaires et le vagabondage.
Si, à ce moment-là, elle n'a pas encore trouvé un autre partenaire, affirmez que la propriété est un vol et que vous pré-

conisez “l’expropriation prolétarienne”. Le patrimoine, les enfants, la famille sont extrêmement importants pour elle et constituent à ses yeux des valeurs sacrées.

Comment ils rompent

Réfléchis et patients, ils ne se décident que rarement à rompre avec leur partenaire. Ils sont sensibles aux grands cycles de la vie et ils ont conscience de la nécessité des mutations, mais comme il leur est difficile d’y faire face, ils préfèrent attendre et remettre leur décision à plus tard, jusqu’au moment où la vie décidera à leur place et les mettra inévitablement devant la réalité d’un fait accompli. Nous voyons alors notre natif du Taureau s’embarquer dans de pompeux discours pour vous expliquer que pour votre propre bien, à cause de votre agressivité et surtout parce qu’il a besoin d’un climat détendu et dépourvu de tensions, il se voit dans l’obligation de vous quitter.
Quant à la native du signe, comme elle est incapable de rompre et craint de rester seule, elle fait appel aux membres de sa famille pour leur demander appui et aide, et ce sont eux qui vous diront tout ce qu’elle devrait et voudrait vous dire, mais qu’elle n’aura jamais le courage de faire directement. Mais lorsque les natifs de ce signe ont pris une décision, elle est irrévocable, et il est pratiquement impossible de les faire changer d’avis.

Gémeaux

Du 60e au 90e degré du Zodiaque
Signe d'air, mutable
Domicile de Mercure
Exaltation de Pluton
Exil de Jupiter et de Neptune
Chute de X-Proserpine

Le printemps est déjà bien avancé lorsque le Soleil pénètre dans le secteur du ciel que l'on appelle les Gémeaux; la nature s'accorde une pause dans la beauté de la splendeur printanière, comme si elle se concentrait dans une attitude de complaisance envers elle-même et sa créativité.
Les fleurs épanouies, les fruits verts, les plantes qui viennent de percer, paraissent pour la première fois prendre conscience de leur existence à la façon de Narcisse, c'est-à-dire avec une pointe d'admiration et de vanité. C'est de là que vient l'attitude marquée d'égotisme et de continuelle mise en avant qui caractérise les natifs de ce signe. Ceux-ci jouent en effet très souvent tel ou tel personnage avec versatilité, selon l'inspiration du moment.
L'air du signe des Gémeaux constitue un moyen de communication : il est semblable au vent léger de mai ou de juin qui emporte des senteurs d'herbe, des vagues de pollen, des plumes légères de taraxacum et révèle aux insectes l'emplacement des fleurs. C'est dans cette richesse de capacité à

communiquer et à entrer en contact avec les autres que se réalisent les natifs de ce signe.
Leur planète guide est Mercure, que l'Astrologie classique a toujours attribué à un autre signe du Zodiaque: la Vierge.
Le Mercure des Gémeaux est porteur de la notion mythologique de "messager des dieux"; il est représenté comme un jeune homme aux pieds ailés, chargé d'établir une liaison rapide entre les hommes et les dieux.
Astrologiquement parlant, il représente le stade de la connaissance acquise par la perception intellectuelle, le contact entre le moi et le monde extérieur à travers une connaissance lucide et non pas par l'intermédiaire de l'intuition et du sentiment.
Les Gémeaux possèdent donc une intelligence souple et ouverte à tous les contacts humains: ils sont curieux, prêts à vivre de nouvelles expériences, habiles, rusés, calculateurs. Prospective, leur vision des choses est détachée de la passion et de l'affectivité, ce qui leur permet de faire preuve d'un remarquable sens de l'humour, d'esprit critique et d'une ironie hors du commun.
Il s'agit d'un signe double, ce qui lui confère une certaine ambivalence.
Le problème de leur duplicité est enchevêtré comme le symbole du caducée hermétique qui les représente: leur moi ne peut se réaliser qu'en se distinguant de ce qu'il "n'est pas", en l'occurrence, le "non moi". La personnalité des Gémeaux est scindée en deux parties dont l'une est opposée à l'autre, mais qui se complètent dans l'unité du tout, de même que dans la réalité, tous les phénomènes baignent dans un monde de dualité, qu'un jour comprend le jour et la nuit, qu'il existe une gauche et une droite pour chaque objet, l'intérieur et l'extérieur, l'élément masculin et l'élément féminin.
Les natifs de ce signe semblent jouer, tels des enfants, à

changer de rôle, à être tantôt l'un, tantôt l'autre des jumeaux. Ils ont de remarquables dispositions pour interpréter sans cesse les personnages que leur bouillonnante imagination mercurienne crée sur le moment.
Pluton, planète de la créativité, est en exaltation dans les Gémeaux et donne, avec Mercure, un résultat nettement exhibitionniste et brillant.
Une intelligence foudroyante et perceptive, un esprit astucieux et mordant, la plaisanterie malicieuse et prompte, la capacité de saisir la balle au bond, telles sont les meilleures qualités auxquelles les Gémeaux doivent leur réussite facile.

Les Gémeaux et l'amour

Le terme "complexité" donne une idée assez juste de la nature affective des natifs de ce signe. Chacun des Gémeaux présente deux visages distincts qu'il doit harmoniser et qui constituent respectivement son pôle positif et son pôle négatif.
Une partie d'eux-mêmes est toujours à la recherche d'aventures et d'émotions, l'autre se montre froide, distante, logicienne et ironique à l'égard de ses propres amours.
On ne peut se demander quel est le vrai visage du natif des Gémeaux: ils sont tous deux vrais et il les ressent profondément comme siens.
Parfois, les deux parties de la personnalité sont polarisées l'une vers l'autre dans une tentative de fusion. Il s'agit là du meilleur des cas. Parfois, elles se succèdent l'une à l'autre en un enchaînement continuel et frénétique d'humeurs, de désirs, d'émotions, rendant la personnalité extrêmement instable. Dans d'autres cas, une partie du moi regarde vivre l'autre.
En amour, tout cela donne au partenaire l'impression qu'une

partie du natif des Gémeaux lui échappe toujours; il a ainsi la sensation que le natif dissimule toujours une composante de sa personnalité, qui lui demeure inaccessible, et ce, même dans la plus stricte intimité. Et en effet, cet aspect obscur et insaisissable n'est autre que l'esprit mercurien qui oscille rapidement et fait passer d'une idée à l'autre le natif des Gémeaux.

Tomber très profondément amoureux de quelqu'un, se voir totalement absorbé par cet amour est chose difficile pour les Gémeaux.

L'amour, ils le vivent plongés dans l'enthousiasme: ils désirent faire les choses avec la personne aimée, non pas de façon absolue et passionnée comme le Bélier, mais d'une manière plus légère et détachée. Ils considèrent en effet le sexe et l'amour comme une aventure exaltante, et ils sont sans cesse à la recherche d'un partenaire ou d'une compagne idéaux (leur fameux "jumeau"), qui les aide à mettre en pratique un idéal fuyant de vérité et de bonheur, qu'ils poursuivent souvent pour réaliser leurs rêves.

Leurs rêves et leur imagination sont extrêmement changeants et les buts vers lesquels ils tendent se déplacent continuellement au fur et à mesure qu'ils sont atteints, vers d'autres objectifs sentimentaux.

Le natif des Gémeaux possède un esprit particulièrement dynamique et se laisse difficilement prendre au piège d'une rigidité mentale comme celle du Taureau. Lorsque les circonstances lui paraissent favorables, il est capable de passer avec désinvolture d'une opinion à l'autre.

Le jeu amoureux des natifs de ce signe comporte toujours des éléments de complicité et d'aventure vécue ensemble, car ces êtres mercuriens sont d'éternels adolescents qui aiment les flirts, les histoires éphémères, éventuellement multiples, les unions et les séparations; ils aiment jouer à cache-cache. Psychiquement, ils ont tendance à se laisser im-

pressionner par des idées changeantes et fugaces; les sensations qu'ils reçoivent produisent immédiatement un maximum d'effet sans laisser de trace profonde, et c'est également le cas des événements, qui ne laissent pas en eux d'échos durables.
Il est fort improbable qu'un natif de ce signe garde rancune ou qu'il se souvienne d'une discussion ou d'un événement désagréables car ses émotions, certes fortes, sont de courte durée et il oublie rapidement joies et douleurs.
C'est un fin stratège, capable d'affronter avec succès les situations les plus diverses, les manipulant avec charme, logique et rationalité, mais pas toujours de la façon la plus honnête.
Il possède, dans les relations amoureuses et sentimentales, un champ d'action extrêmement vaste au sein duquel il déploie son incroyable souplesse d'esprit. De même qu'on le voit souvent faire plusieurs choses en même temps, lire, écrire, téléphoner, de même en amour se plaît-il à mener de front plusieurs intrigues, malgré la superficialité que de telles relations entraînent.
D'une intelligence hors du commun, il sait tirer un profit immédiat des situations et les tourner à son avantage, car il a la faculté d'utiliser rapidement les impressions émotives qu'il reçoit de son entourage.
En amour, il est inconstant et pas toujours fidèle, car il a besoin de connaître de nouvelles sensations, d'avoir de nouvelles relations, amitiés, confirmations, pour expérimenter, explorer, se sentir vivant. Il résiste difficilement aux attraits de l'inconnu et il se jette dans l'aventure pour voir ce qui va se passer et comment sera la nouvelle situation, sans penser le moins du monde aux éventuelles complications qui pourraient en découler et qu'il va affronter dans l'esprit d'improvisation qui est le sien.
Il vit dans un monde d'innombrables et continuelles émo-

tions et d'idées parfois contradictoires, qu'il s'efforce cependant de traduire en images verbales très évocatrices, car il parle sans arrêt, sur un ton parfois rythmé et légèrement chantant, presque musical.
Insensible aux douleurs et aux chagrins d'amour des autres, il éprouve rarement de la compassion pour les cœurs qu'il a lui-même brisés. En effet, Neptune, planète de la sensibilité, du génie artistique, de la spéculation mentale, religieuse et philosophique, est en exil dans ce signe, car il est domicilié dans le lointain Sagittaire.
L'agitation des Gémeaux provient donc de leur nervosité et de leur curiosité; leur volonté de changement, d'évasion, leur soif de nouvelles expériences amoureuses restent pratiquement toujours vécues comme un épisode nouveau et amusant, liées à leur entourage et à un cadre d'expériences limité tant sur le plan mental que sur le plan géographique.
L'un de leurs jeux amoureux préférés est le ménage à trois dans lequel les deux autres personnes se consacrent naturellement à eux, et cela précisément à cause de leur frénésie de vivre et leur désir de ne pas perdre des occasions et de profiter au maximum de l'instant présent.
Ils ne se demandent pas si cela vaut la peine de dissiper et de brûler toute leur énergie, pour vivre leurs multiples aventures et suivre leurs impulsions du moment. Ils devraient se montrer plus prudents afin de voir si leurs flirts méritent vraiment un tel investissement émotionnel et réfléchir avant de prendre une décision.

L'homme des Gémeaux

L'on croit parfois connaître l'homme des Gémeaux. C'est un leurre. Tout ce que l'on peut faire est d'essayer de pré-

voir laquelle de ses nombreuses personnalités il va adopter à un moment précis.
Fuyant comme l'air, qui est son élément, il tire du répertoire de son imagination exubérante le personnage et le scénario qui s'adaptent le mieux à la circonstance et il l'interprète avec désinvolture.
Tombant à point nommé, sachant s'adapter, compréhensif, tolérant, fidèle, flatteur, il saura se faire pardonner par mille et une astuces, s'il a été surpris en flagrant délit.
Mais il peut devenir soudainement mordant, caustique, ironique; il est alors capable de battre mentalement sa compagne, de la blesser mortellement de ses flèches rapides et piquantes qui font mouche et qui, par conséquent, sont souvent cruelles.
N'oublions pas qu'en tant que signe d'air, les Gémeaux, tout comme les deux autres signes d'air, la Balance et le Verseau, ont grand besoin de liberté et d'indépendance et qu'ils ne supportent pas les liens affectifs étroits qui leur procurent des obligations et peuvent limiter d'une façon ou d'une autre leur besoin constant de se livrer à de nouvelles expériences, non seulement dans le domaine amoureux mais aussi humain.
L'air sert en effet à propager les bruits qui mettent les individus en contact, transmettent les mots et les pensées... L'homme des Gémeaux ressent la communication avec ses semblables comme la première de ses exigences.
En amour, il ne fait aucun doute qu'il sait plaire, en raison de la faculté qu'il possède de comprendre rapidement les goûts et les pensées des autres, en raison de sa souplesse d'esprit et de sa faculté d'adaptation aux situations les plus diverses.
Il est quelque peu influençable, mais surtout pour ne pas offusquer les autres. Son charme réside dans les mots, les trouvailles, les idées, les improvisations.

Il est très rare qu'il n'ait qu'une seule liaison; le flirt est sa véritable vocation et c'est ainsi qu'il a une foule d'amitiés amoureuses qui lui permettent d'exercer sa capacité de séduction, son imagination, et de satisfaire son besoin d'être le premier, même discrètement.
Il maintient les rapports amoureux très intenses dans un état de fluidité permanente qui exige une attention et un soin de tous les instants, et ce, jusqu'au moment de la rupture.
Il a besoin d'une femme qui se prête à son jeu, et qui, tout en lui laissant une grande liberté d'action et de pensée, lui permette de découvrir jour après jour de nouveaux aspects de sa personnalité à elle. Il devra avoir l'impression de se trouver toujours face à une nouvelle compagne. Elle devra sans cesse éveiller son intérêt et l'entraîner, au moins sur le plan mental, dans de nouvelles histoires et vicissitudes qui doivent être de toute façon étranges, excentriques, originales, de façon que le natif des Gémeaux se sente chaque jour stimulé et amusé par la présence d'un autre être, aussi gai, amusant et bizarre que lui, et qu'il croie avoir trouvé en sa partenaire son cher "jumeau". Elle doit donc savoir le reconquérir chaque jour.

La femme des Gémeaux

La femme des Gémeaux a habituellement un aspect d'éternelle jeunesse: grande et mince, elle a le geste vif et l'œil mobile, et semble scruter simultanément tous les points de l'horizon.
Apparemment très sûre d'elle, elle tient beaucoup à son aspect physique et s'efforce d'être au centre de l'attention. La planète Pluton l'oblige à toujours se mettre en avant: d'apparence séduisante, elle aime s'exhiber et n'aura de ces-

se qu'elle n'ait catalysé sur elle l'attention des personnes qui l'entourent. Ses antennes plutoniennes sont constamment en action pour capter tous les signaux, les pensées, les changements, les hommes présents qui suscitent en elle un peu d'intérêt.

Elle aussi vit entièrement dans le présent; elle n'aime pas se sentir liée ou surveillée, elle ne sent pas les liens d'ordre émotionnel et elle a besoin d'une grande liberté d'action.

Mercure, astre de la connaissance, la fait évoluer selon le stimulant caprice de la pensée et de l'intelligence exploratrices, curieuses et irrégulières. N'ayant pas de certitude intérieure, elle vole, légère et investigatrice, car tout est nouveau et elle doit tout connaître.

Dans les rapports amoureux, ses principaux mobiles sont la curiosité, l'intérêt pour les choses nouvelles, le besoin de s'affirmer, de confirmer la faculté qu'elle a de réussir à entraîner les autres, afin de rassurer sa vanité personnelle.

Dans les flirts et les histoires sentimentales, elle a besoin de se sentir entraînée et intéressée totalement par les personnes, les projets, les problèmes de ceux à qui elle a affaire, sans pour cela les résoudre ou proposer des solutions efficaces.

Elle porte un grand intérêt à l'être humain et connaît bien les divers domaines d'activités avec lesquels elle se trouve en contact. Mais elle demeure malheureusement toujours superficielle dans tout ce qu'elle fait, comme si elle craignait inconsciemment qu'une spécialisation, quelle qu'elle soit, puisse constituer un lien.

La routine amoureuse lui est insupportable et elle déteste tout rapport qui comporte un élément de prévisibilité. Elle exploite habilement toute occasion qui lui donne la possibilité de se camoufler et d'inventer de nouveaux personnages, allant de la politicienne à la ménagère, de la séductrice à la personne qui exerce une profession libérale.

Elle sait exposer de façon fort imaginative tous les aspects de sa personnalité, qu'elle présente de préférence comme parfaite, digne d'être imitée et applaudie.
La femme des Gémeaux est vive, agitée, insolente, intolérante, toujours très tendue et nerveuse. L'une de ses plus grandes qualités est d'être toujours disponible pour se lancer dans de nouvelles entreprises. Elle est très bavarde et communicative, et en amour, malgré tous ses discours, elle ne dit jamais qu'une partie de la vérité. Il est donc nécessaire de lui poser des questions directes, précises et pertinentes auxquelles elle se sentira obligée de répondre en toute sincérité.
Compagne agréable, amusante, stimulante, très capricieuse, elle possède un sens inné de l'humour.
Il n'existe pas d'homme idéal pour elle, mais son partenaire doit lui accorder toute l'attention possible; il devra se montrer brillant, spirituel, intellectuel, amical, être porteur de nombreuses nouvelles, bref, constituer un rival digne de ce nom en matière d'esprit. Il devra parler sans interruption pendant une partie de la nuit des sujets les plus actuels et les plus variés, être aussi habile qu'elle, tant sur le plan physique que psychique.
Sexuellement, elle n'est pas très encline à la passion, et elle a une attitude de type expérimental. Elle est en effet toujours prête à essayer de nouvelles idées, les aspects les plus profonds de l'amour et de l'union sexuelle ne revêtant pour elle qu'une importance secondaire. Elle considère le sexe comme un passe-temps plus ou moins agréable et vit la passion physique avec un certain détachement.

Comment il conquiert

L'homme des Gémeaux est particulièrement attirant et sé-

duisant et il saura certainement découvrir votre point faible et le moyen de vous entraîner avec lui. En outre, de par sa curiosité naturelle à l'égard des personnes qu'il connaît et la grande facilité avec laquelle il communique, il vous mettra tout de suite à votre aise, sera pour vous un ami et réussira à vous donner l'impression qu'il vous comprend.
Sa tolérance est immense, de même que sa faculté de comprendre les problèmes psychologiques des autres. Si vous avez des conflits intérieurs, tant mieux : il se fera un plaisir de jouer les psychologues, et plus vos difficultés seront complexes, plus il vous aidera à démêler (ou à emmêler) le fil de vos pensées et de vos rêves.
Il s'exprime avec une incroyable aisance, le désir de se mettre en avant le pousse parfois à raconter des mensonges dont il se convainc ensuite lui-même, et à embellir la réalité. Efforcez-vous de voir plus loin que ses jeux de prestige et que les images créées par ses torrents de paroles. Stimulant et sympathique, il semble être au fait de toutes les nouveautés du moment, de la musique à la politique, en passant par la mode et l'art.
Avocaillon et démagogue, il donne presque toujours des informations superficielles, mais il est tellement universel qu'il se trouvera certainement des points communs avec vous. Etant donné son dynamisme exceptionnel, vous aurez du mal à lui résister : il vous invitera à des réceptions, des fêtes, des bals fabuleux où il pourra faire briller son côté mondain. Mais ce qui vous fascinera le plus en lui est cette facette cachée et insaisissable de sa personnalité, que vous ne parviendrez d'ailleurs jamais à comprendre.

Comment le conquérir

La conquête provisoire et immédiate d'un natif des Gémeaux n'est pas très difficile à réaliser : il suffit d'être brillante, spirituelle, intellectuelle, mais surtout, très originale. Il aime tout ce qui est étrange et qui sort de l'ordinaire.

Vous pouvez donc lui raconter les péripéties les plus étonnantes de votre dernier voyage, mais attention, elles doivent être authentiques. Ne les inventez pas, il s'en apercevrait tout de suite grâce à son intuition subtile. Plus vous lui porterez d'aventures exceptionnelles qui ne sont pas à la portée de tous, plus il s'intéressera à vous.

Si vous voulez qu'il vous porte un intérêt soutenu au fur et à mesure que le temps passe, il vous faudra toujours agir de la sorte car il ne supporte ni l'ennui ni la monotonie.

Vous devrez l'inciter à vous poser constamment de nouvelles questions, à découvrir quelle nouvelle personnalité vous avez endossée aujourd'hui, quel est le centre d'intérêt du jour.

Il aime beaucoup les conversations, et il est plein de verve; vous devrez par conséquent l'écouter, ne l'interrompant que de temps à autre, lui donnant la possibilité de vous exposer son point de vue. Mais par ailleurs, ne le laissez pas en dire trop, car un monologue l'ennuierait terriblement.

Efforcez-vous surtout de lui donner l'impression que vous êtes précieuse, originale, irremplaçable, bref, la seule femme vraiment exceptionnelle qu'il lui soit jamais donné de connaître.

Si vous réussissez, à son insu, à faire en sorte qu'il ait cette image de vous, alors, vous l'aurez conquis.

Comment elle conquiert

La native des Gémeaux est agitée, elle recherche la nouveauté, elle a toujours besoin de sensations et de milieux nouveaux et captivants. Elle lance d'irrésistibles messages

de complicité, elle improvise et crée de nouveaux personnages, car elle aime avoir un public qui l'applaudisse et elle désire se trouver sous les feux de la rampe. Elle intervient volontiers dans la conversation, interrompant celui qui parle par des boutades piquantes et spirituelles.
En amour aussi, il arrive souvent que sa loyauté ne soit pas totale: elle essaie d'arracher, de saisir, voire de voler ce qui se trouve à sa portée.
Sa meilleure arme: l'humour qui lui permet de donner un aspect futile à toutes les choses et à les débarrasser de leur importance, car elle se trouve à son aise lorsque tout devient léger, gai, désinvolte.
Pluton la veut exhibitionniste, jamais aveuglée par la passion; Mercure, par son sens critique, l'empêche de s'abandonner aux sentiments les plus langoureux ou aux amours les plus ardentes. Elle aime les flirts, cherche des confirmations de son charme, et elle a en général un agenda bourré d'adresses de “ses” partenaires qui constituent une grande réserve pour sa vanité.
Elle conquiert parce qu'elle parvient à minauder avec tous sans intention sérieuse avec aucun. Elle aime se livrer aux manœuvres les plus simples possibles, car les démarches complexes pourraient la faire perdre. Tout son charme réside précisément dans le fait qu'il s'agit d'une femme adorable, superficielle et désirable. En amour, elle ne se donne jamais complètement, ce qui peut retarder son évolution et son mûrissement personnels.

Comment la conquérir

Le rêve le plus exaltant de la femme des Gémeaux est celui où, sur une scène, elle joue le rôle d'une grande actrice: après avoir captivé le public par son art consommé de star

et après avoir littéralement conquis tous les hommes présents dans la salle, voici qu'elle choisit ceux qu'elle préfère. Eh bien, essayez de vous trouver parmi ces derniers.
Trêve de plaisanteries. Il n'existe pas de type particulier d'homme qui réponde plus ou moins bien à son charme. Que vous soyez masculin, viril et décidé, ou bien doux et sensible, l'important est qu'elle puisse minauder, aguicher, exciter et vous échapper au dernier moment.
Elle vit dans l'instant; si elle agit sous la poussée des circonstances c'est par principes ou par convictions intérieures. Laissez-la jouer son jeu, car elle ne peut rayonner si elle ne se sent pas sûre d'elle.
Invitez-la à une fête, elle se trouvera dans son élément, elle saura magistralement faire usage des mots et fera tout pour être la reine. Evitez absolument d'être paresseux, suivez-la dans ses projets, dans ses plans, dans la foule d'idées qui vont et viennent dans son esprit avec la rapidité du messager Mercure. Montrez-vous très patient, car elle est toujours agitée, nerveuse et irritable. Elle a besoin de se sentir tranquille et de pouvoir se détendre.
Ne parlez jamais, au grand jamais, d'autres femmes en sa présence: la scène lui suffit à peine, imaginez si elle a envie de la partager! Aimez-la pour son caractère gai, plein d'entrain, joyeux, et surtout parce que les Gémeaux sont le printemps de l'humanité.
Elle est une créature lumineuse, alors ne lui demandez pas si sa lumière est réfléchie ou si elle provient du papier d'étain. Elle ne le comprendrait peut-être jamais, elle irait briller ailleurs, et vous la perdriez.

Comment le quitter

Montrez-vous sérieuse et pédante. Evitez-d'être au courant de

toutes les nouveautés et ne manifestez aucune envie d'en discuter avec lui; n'appréciez pas son humour et ses boutades spirituelles, mais dites-lui qu'il est superficiel et que s'il continue à disperser ainsi son énergie, il bloquera son évolution personnelle.
Critiquez sévèrement ses soirées mondaines, refusez d'y participer, dites-lui clairement que vous êtes lasse de son mode de vie vide et inconsistant, dépourvu de valeurs sincères et profondes.
Autre moyen pour qu'il vous quitte: proposez-lui une vie faite de journées identiques se succédant les unes aux autres, faites-lui miroiter l'idée que vous voulez affronter la vieillesse à ses côtés, dans la sérénité, donnez-lui l'impression que vous le voulez à vos côtés ou que vous désirez le lier indissolublement à vous, en l'épousant, par exemple.
Le natif des Gémeaux ne supporte pas les liens, et en outre, comme il s'agit d'un éternel adolescent, il s'enfuira dès qu'il entendra le mot fatidique de “vieillesse”.

Comment la quitter

Cessez de rire à ses boutades mordantes, ne la laissez pas donner libre cours à son imagination vive, empêchez-la de rencontrer ses nombreux amis; affirmez que ce sont des personnes vides et insignifiantes et que vous n'avez pas envie de perdre votre temps en vaines discussions.
N'appréciez plus les spectacles dignes d'une starlette qu'elle vous prépare et qu'elle vous interprète chaque soir lorsque vous rentrez à la maison, dites-lui que vous désirez une vie tranquille et sans surprise. Elle ne supportera pas une existence solitaire et sans clinquant.
Parlez innocemment de vos amies féminines et dites combien vous les admirez pour leur profondeur et leur sérieux.

Si jamais cela ne suffisait pas, vous pouvez toujours lui faire croire que vous n'êtes pas très doué intellectuellement, que vous avez un esprit étroit et limité et que vous n'êtes guère tolérant. Il est alors certain qu'elle ne vous supportera plus et qu'elle partira pour toujours.

Comment ils rompent

La rupture qui caractérise habituellement les Gémeaux s'effectue par l'intermédiaire des journaux, qui sont eux aussi protégés par Mercure: dans la page consacrée aux événements mondains et aux célébrités, vous pourriez découvrir la photo de votre partenaire au bras d'un(e) autre.
Serait-ce une distraction de sa part? Une erreur? Qui sait...
Les Gémeaux sont tellement imprévisibles que toutes les hypothèses peuvent se vérifier; le fait est qu'un jour, sans crier gare, ils peuvent fort bien ne pas se présenter au rendez-vous à l'endroit, au bar, ou au coin de rue habituels...
Cela voudra dire qu'ils ont entamé une relation avec quelqu'un d'autre, avec un enthousiasme semblable à celui qu'ils vous avaient manifesté au début de votre liaison. Si par hasard vous les cherchez encore pour obtenir des explications, tout ce qu'ils vous raconteront ne sera pas nécessairement vrai.
Tout est possible avec les Gémeaux, y compris les retours de flamme tardifs, une rencontre temporaire, un dernier feu, un autre adieu...

Cancer

Du 90ᵉ au 120ᵉ degré du Zodiaque
Signe d'eau, cardinal
Domicile de la Lune
Exaltation de Vénus
Exil de Saturne et d'Uranus
Chute de Mars

Le moment où le Soleil traverse le signe du Cancer correspond à l'été, saison au cours de laquelle les fruits mûrissent et terme du premier cycle de la vie végétale. La nature ne se trouve plus dans une phase de création active, comme pour les signes précédents, mais elle attend une récolte imminente.
Les fruits vont bientôt tomber des arbres. Ils vont être récoltés, et donc détachés de la "mère" qui les a engendrés. Cela accentue la nostalgie et la tristesse dues à la séparation d'une phase de la vie qui s'est terminée à la fin du printemps passé, avec l'apparition imperceptible de la conscience de devoir abandonner ce moment heureux, chaud, affectivement serein et culminant de l'existence pour affronter une nouvelle transformation. Le Cancer semble accumuler en soi l'histoire et l'âme des choses passées et perdues. Cela explique son attachement nostalgique au passé, en tant que paradis perdu, son introversion, ses rêves, son attachement

nostalgique à l'enfance, et, parfois, la persistance d'un complexe maternel.
Souvent, en effet, le lien qui unit le Cancer à sa mère est compliqué : certains psychologues affirment que tout natif de ce signe, homme ou femme, connaît une phase cruciale dans son existence lorsqu'il s'identifie à sa mère. La planète du Cancer est la Lune, qui, astrologiquement parlant, représente le personnage de la mère. Il importe donc de voir comment le natif du signe résout le problème de la relation à sa mère ou à ses deux parents.
A condition qu'il parvienne à le régler de façon positive et à retrouver en soi la faculté de donner la vie à un autre être humain et de l'aider à se développer sans pour cela en exagérer la valeur ou lui opposer des refus destructeurs, il réussira à évoluer harmonieusement et à devenir pleinement autonome.
On sait que la Lune est changeante : les quatre phases lunaires et ses mouvements exercent une influence sur de nombreux phénomènes terrestres, et l'on connaît cette influence depuis l'Antiquité. Elle détermine en effet les cycles menstruels féminins, la croissance des plantes, les changements météorologiques, la vie de certains crustacés comme le crabe. Un cycle entier de la Lune autour de la Terre se compose de quatre phases, liées aux quartiers de Lune, à la nouvelle Lune et à la pleine Lune; chacun de ces moments exerce une influence différente sur l'humeur et le psychisme du natif du Cancer.
Cette Lune changeante se reflète dans l'eau du Cancer, une eau génératrice, source de toute forme de vie : cela explique le caractère des natifs de ce signe : d'humeur instable, sensibles, rêveurs, flottants, imaginatifs, ils ont des attitudes très souvent contradictoires et oscillent entre des comportements obstinés et fermés et des manières plus ouvertes et joyeuses. Leur nature introvertie est souvent défensive; elle protège

un noyau intérieur trop tendre, doux et vulnérable pour être exposé.
Le lien avec l'inconscient est extrêmement fort et le Cancer refuse parfois consciemment une réalité extérieure qui ne le satisfait pas pour se réfugier dans son univers intérieur qui vient remplacer le monde extérieur et la réalité qui lui déplaisent; ce signe connaît probablement la plus grande difficulté d'être du Zodiaque : malgré sa nature émotive, sensible et vulnérable, il éprouve le besoin de descendre dans les profondeurs de son âme, et cette aventure qui, certes, peut lui apporter beaucoup parce qu'il a une vie intérieure très riche, peut aussi s'avérer extrêmement douloureuse. Personne ne peut l'affronter à la légère.

Le Cancer et l'amour

Intuitif, imaginatif et docile, celui qui naît au moment où le Soleil traverse le secteur du Cancer est généralement doté de toutes les caractéristiques que l'on considère depuis toujours comme typiquement féminines; doux et amoureux, les natifs de ce signe ont tendance à reporter et à concentrer leurs exigences affectives au sein des rapports familiaux.
En amour, la prédominance des valeurs affectives et instinctives fait passer au second plan l'activité et l'initiative.
En effet, la lutte et la compétition n'appartiennent pas vraiment à la nature des natifs du Cancer, qui s'isolent souvent, opposant une résistance passive aux obstacles. Apparemment fragiles et délicats, ils sont imbattables sur le plan de la ténacité et de la résistance.
Dans la vie sentimentale, ils sont hypersensibles, anxieux, impressionnables, et leur planète, la Lune, les invite souvent aux vagabondages de l'imagination et à l'excentricité.
L'humeur et le caractère personnel des natifs de tous les si-

gnes sont partiellement influencés par les passages célestes de leurs planètes guides respectives. Pour les natifs du Cancer, l'influence de la Lune est importante : elle se fait sentir de façon considérable précisément parce qu'ils reflètent son caractère réceptif et passif et ils sont donc changeants comme elle le leur suggère à chacune de ses phases. Ils se sentent plongés dans une irrésistible vague de sensations : la Lune est l'astre le plus erratique et le plus rapide et il faut penser qu'elle change d'angle, par rapport aux autres corps célestes et aux planètes fondamentales du signe, presque toutes les heures.

Le Cancer est un signe d'eau; l'eau est fluide et elle prend la forme du récipient qui la contient. C'est de là que vient le caractère changeant, l'émotivité, la sensibilité et la vulnérabilité excessives de ces superémotifs dont la sensibilité intense, quasi médiumnique, baigne dans la convergence de mille et une impressions.

Leur monde intérieur est fait de prévoyance, de prémonitions, d'intuitions d'anticipation.

Ils ont au fond du cœur un coin obscur où ils cachent leur angoisse de ne pas être aimés. Leur instabilité émotionnelle les oblige parfois à se comporter pratiquement comme des enfants, à refuser les responsabilités et les solutions rationnelles.

La Lune correspond d'ailleurs à l'enfance, et Saturne, planète de la maturité et de l'autonomie, est en exil dans ce signe puisqu'il est domicilié dans le signe opposé du Capricorne.

Grand est leur désir d'amour, qui constitue à leurs yeux un écran protecteur contre les peurs et les angoisses. Ils se réalisent à travers les liens affectifs, la douceur, la tendresse, la compréhension, les attentions dont ils entourent la personne aimée qu'ils désirent et sans laquelle ils se sentiraient terriblement malheureux.

Ils veulent et ils réclament un être qui leur donne un amour total, qui les comprenne, qui leur pardonne, qui les soutienne, qui aille au-delà de toutes les contraintes. Ils désirent un amour ineffable, indicible, dans lequel ils puissent se donner sans craindre d'être trompés, incompris ou dupés, dans lequel ils puissent également reporter les trésors de tendresse qu'ils accumulent.

Leur cœur n'est qu'un rêve d'amour; ils possèdent une sensibilité évanescente et romantique, leur imagination dessine mille chimères, à la recherche de l'idylle magique de leurs rêves. Malheureusement, le miracle ne se réalise pas toujours, et nos natifs du Cancer ne rencontrent pas toujours l'âme sœur qui répond parfaitement à leur image et à tous leurs désirs. Ils se heurtent souvent à des déceptions.

Dans ce cas, ils se replient sur eux-mêmes et, par crainte de la dérision, il dissimulent leurs rêves et leurs désirs.

Ne possédant pas la charge des valeurs agressives et vitalistes nécessaires pour vaincre les obstacles, ils tombent très fréquemment dans des attitudes défaitistes ou infantiles. Ils deviennent alors renfermés, impénétrables, bloquant leurs émotions, allant jusqu'à s'apitoyer sur eux-mêmes.

Le Cancer est le secteur astrologique qui concerne la maison, les origines, ce qui explique que les natifs de ce signe ont besoin d'un environnement confortable, car ils doivent se sentir à l'abri des horreurs et des violences du monde.

En amour, ils font preuve d'une ténacité remarquable et ne lâchent prise que difficilement.

Ils se lient parfois à des personnes qui ne sont pas les plus indiquées pour eux, mais malgré cela, ils ont beaucoup de mal à comprendre quand et comment rompre ces relations négatives.

Toujours gentils et prévenants, ils sont pleins d'attention; il émane d'eux un halo protecteur, qui a parfois tendance à se transformer en possessivité à l'égard de leur entourage qu'ils souhaiteraient manipuler imperceptiblement, à leur façon. Le Cancer est en effet un signe cardinal de commandement qui dissimule derrière sa grande douceur d'excellentes capacités pour diriger les autres et jongler avec les situations.

Il a besoin d'un partenaire capable d'accepter ses humeurs changeantes sans demander d'explications, qui le protège, le défende et crée autour de lui un bouclier d'affection, de douceur et de sécurité. Cette personne doit aussi tolérer sa possessivité et l'aider, sur le plan émotionnel, à dissiper les peurs, les pensées négatives, les brouillards obscurs et les fantasmes auxquels son esprit donne naissance.

Les natifs du Cancer désirent être séduits lentement; ils veulent être courtisés, choyés, et bien qu'ils aient tendance à la cacher, ils possèdent une sexualité très intense qu'ils communiquent imperceptiblement. Le Cancer désire, tout comme le Taureau, mais d'une façon plus rêveuse, associer le sexe à l'amour et à la délicatesse, à l'admiration et au romantisme.

L'homme du Cancer

L'homme du Cancer est gentil, attentionné, sensible et pas du tout autoritaire. Il laisse donc toujours faire sa compagne, mais sous sa douce galanterie, ses manières courtoises et ses attentions, il parvient à décider subtilement de tout, y compris de la vie des autres. Il n'est pas agressif, n'explose pas en scènes violentes et n'exige rien.

La planète Mars, responsable de l'agressivité et du dynamisme, est en chute dans ce signe, car elle est en exaltation dans le secteur du Capricorne, ce qui empêche le Cancer d'éclaircir les situations et les équivoques d'une manière franche et directe. Il exprime sa mauvaise humeur pour les torts

qu'il a subis — ou qu'il croit avoir subis — d'une façon grincheuse, capricieuse, presque infantile et, naturellement, lunatique.
En amour, on ne peut pas dire qu'il s'agisse d'un conquérant partant à l'attaque comme le Bélier, mais il est capable de comprendre à fond le psychisme féminin et ses problèmes et il sait être un compagnon doux, affectueux et compréhensif.
Dans les rapports amoureux, il recherche l'entente de deux âmes, et donc une personne qui soit capable de répondre à sa forte vibration émotionnelle. Sa charge affective est immense, tout comme sa capacité de donner, de comprendre et de protéger, mais il désire quelqu'un qui l'accepte complètement, avec qui il puisse à son tour s'abandonner totalement, et qui lui donne une douceur et une tendresse quasi maternelles.
Il est très difficile de s'adapter à lui, car il vit parfois dans un monde romantique et fantastique, fait de souvenirs, de mosaïques du passé, de regrets cachés au plus profond de son être, qu'il conserve et cache jalousement à qui que ce soit.
Il peut être extrêmement malaisé, pour sa compagne, de s'habituer à ses brusques changements d'humeur liés aux phases lunaires, à sa susceptibilité, à ses mutismes, à ses apaisements soudains.
Le personnage de la mère est très important pour lui, tant sous son aspect positif que sous son aspect négatif, et il recherchera toujours, parfois inconsciemment, les qualités maternelles qu'il a tendance à idéaliser dans les femmes qu'il rencontre.
Il se fie beaucoup à son intuition et l'utilise constamment pour filtrer les impressions qu'il reçoit. Ses sensations constituent des faits concrets et il parvient à percevoir les changements qui interviennent dans les psychisme des autres par-

ce qu'il est doté d'une intuition fine et d'une capacité de perception quasi médiumnique.
Sexuellement, ce n'est pas un ardent, mais il est très réceptif aux désirs de l'autre, et le romantisme, pour lui, fait partie intégrante de l'excitation et de la gratification sexuelle. S'il ne se sent pas aimé pendant le jour, il va repousser violemment les avances nocturnes de sa compagne et s'enfermer froidement dans sa solitude, se faisant prier, attendant assurances et excuses pour en sortir.

La femme du Cancer

La femme du Cancer, fortement influencée par la Lune, est la personnification du mystère et de tous les comportements, quelquefois inexplicables, de la plus pure essence féminine. Elle est émotive, impressionnable, réceptive, douée d'imagination et de facultés psychiques.
Elle est une "femme-femme" et, tout comme la Lune, elle absorbe secrètement et silencieusement les rayons resplendissants du Soleil, pour les refléter en une lueur nocturne douce, délicate et diffuse qui modifie l'aspect de toutes les choses, les enveloppant d'une auréole de mystère. Elle est également énigmatique en amour, et comme la Lune, son astre, elle a tendance à absorber toutes sortes d'énergies et d'impressions psychiques, de sensations et d'émotions, même si elles appartiennent aux autres, dont elle ne sait ensuite comment se débarrasser.
Timide, réceptive, elle attire tout en ne faisant apparemment rien pour cela. Elle a tendance à cacher sa passion par crainte d'être repoussée ou par peur que l'autre manque de désir, ce qui incite généralement son partenaire à faire les premiers pas. Elle se borne en effet à envoyer des messages cachés, parfois muets, qui émanent de ses gestes et de

ses regards, et en particulier du pouvoir occulte qui se dégage d'elle. Lorsqu'elle tombe amoureuse, elle aime sans condition. Elle possède l'adaptabilité de l'eau et elle parvient à être la femme dont rêve son partenaire car son incroyable capacité de perception lui permet de deviner ses pensées et ses désirs les plus secrets. Elle prend grand soin de lui, elle est très sentimentale, elle sait attendre et être patiente, mais elle veut son compagnon pour elle seule, car à ses yeux, rien n'est plus important que lui.
Ses états d'âme changeants s'accompagnent souvent d'un sixième sens et d'une sorte de prévoyance qui lui fait souvent peur. Elle devra s'efforcer de se comporter, à l'égard de sa propre sensibilité, comme s'il s'agissait d'un don à mettre au service des autres et des causes qu'elle ressent comme siennes, et essayer de ne pas trop se laisser entraîner sur le plan individuel.
En amour, elle a tendance à s'accrocher à son compagnon et à sa maison, mais elle n'est pas aussi vulnérable qu'il y paraît; les moyens qu'elle utilise sont plus subtils et cachés que ceux des autres femmes, et ils ne reposent absolument pas sur la compétition, sur l'agressivité, sur le combat franc et sincère.
Dans n'importe quelle sorte de dispute amoureuse ou sentimentale, elle a beaucoup de peine à faire face aux désaccords et aux conflits déclarés, à exprimer sa douleur et sa déception. Elle s'enferme alors dans le silence et l'introversion. Très souvent, du fait de cette incapacité à agir par des voies directes, elle emprunte, lorsqu'elle veut obtenir quelque chose d'une personne avec laquelle elle est en relation intime, des chemins de traverse, parvenant à manipuler son entourage presque inconsciemment.
Il s'agit là d'un grand danger qui guette la femme du Cancer: celui d'enfermer ceux qu'elle aime dans un épais filet de possessivité qui fait fuir son partenaire, celui-ci se trou-

vant entraîné et plongé dans des choses qu'il n'avait pas l'intention de faire, mais qu'il n'a pu éviter à cause de l'intervention subtile et imperceptible de sa compagne.
Sur le plan sexuel, elle est extrêmement sensible à la sensualité et elle domine plus qu'il n'y paraît : elle ne veut pas être poussée, mais cajolée, courtisée, choyée par une séduction lente, mais au fond, c'est elle qui prend secrètement en main la vie du couple. Sa féminité est un peu vieux jeu, sentimentale, mais elle possède une sexualité très intense et tire de grandes gratifications et satisfactions de l'expression physique de l'amour, sur lequel doit toujours se greffer une profonde compréhension.
Elle a surtout besoin de se sentir aimée et, même après l'amour physique, demande de nouvelles assurances et confirmations affectueuses.

Comment il conquiert

Il saura tirer profit de sa grande intuition pour créer constamment autour de vous une auréole de mystère et de romantisme et il aura tendance à vous donner l'impression que vous êtes seul au monde, même si vous vous trouvez au milieu des autres.
Il conquiert grâce à ses manières courtoises, à sa faculté de comprendre vos problèmes, à sa gentillesse et à sa bienveillance. Mais il est incapable de s'imposer de façon théâtrale, et ne vous submergera certainement pas d'invitations.
Il vous fera cependant comprendre qu'il serait très heureux de vous avoir avec lui.
Si vous le rejetez ou si la conquête s'avère trop difficile, il se mettra à l'écart ou il attendra patiemment, avec la ténacité qui caractérise son signe. Le mordant, le défi, la volonté de se prouver qu'il y parviendra sont parfaitement

étrangers au natif du Cancer qui est empêtré dans l'affectivité vénusienne et désire vous entraîner dans un doux monde fait de caresses, de gros bébés, de gâteaux à la vanille, de sentiments poétiques, perceptifs, tranquilles et profonds. La poésie et la musique accompagnent toujours ses impulsions sentimentales ainsi que les promenades au clair de lune, caractéristiques de son romantisme inné.
Mais s'il tombe profondément amoureux de vous, il pourra prendre la chose très au sérieux et essayer de réaliser coûte que coûte vos rêves et les siens.

Comment le conquérir

Vous devrez vous montrer délicate et très compréhensive car l'homme du Cancer aura, dès le début, tendance à se dissimuler et à vous cacher ses secrets, qu'il ne confiera d'ailleurs jamais à personne, ni à ses amis les plus intimes, ni même, peut-être, à lui-même.
Vous devrez faire appel à votre intuition, vous habituer à reconnaître ses sautes d'humeur. Nous recommandons même à tous ceux qui s'intéressent aux natifs du Cancer de se munir d'un calendrier sur lequel figurent tous les quartiers de Lune, ainsi que les éclipses, et de ne pas oublier que la période qui va de la nouvelle Lune à la pleine Lune est la meilleure pour entamer de nouvelles activités et pour l'amour physique.
Quant à la période qui va de la pleine Lune à la future nouvelle Lune, elle est propice aux forces psychiques et spirituelles et constitue donc le moment idéal pour rêver ou idéaliser.
Vous devrez en outre savoir sur quel jour tombent la pleine Lune et la nouvelle Lune car ce sont des moment possibles

de changement de l'énergie qui peuvent se répercuter sur l'humeur de votre partenaire.
Vous aurez certainement déjà compris que vous devez le gâter, le choyer, être pour lui une partenaire très douce et fidèle, une mère affectueuse et sensible, aimer les enfants, vous consacrer à lui et toujours le comprendre.
Mais il y a aussi une personne à qui vous devrez faire attention : sa mère. Souvenez-vous qu'elle est toujours présente pour lui et qu'elle ne doit jamais être l'objet de rancune, de critiques ou de la moindre impolitesse de votre part.

Comment elle conquiert

La planète Vénus, en exaltation dans le signe du Cancer, ainsi que la Lune qui le gouverne, rendent la native terriblement féminine, douce, sensible, aimable, désirable. Pour conquérir, la femme du Cancer n'a pas besoin de faire quoi que ce soit, car elle est déjà une véritable femme.
Elle semble en effet toujours savoir exactement comment séduire son compagnon et quelle stratégie adopter.
Délicieusement souple, accommodante, ayant besoin d'appuis, elle attire aussi par sa passivité, qui donne envie à l'homme qu'elle a choisi de prendre soin d'elle.
Elle aime se soumettre, considérer celui qu'elle aime comme son seigneur et maître, car elle sait que par ailleurs, ce sera elle qui l'absorbera, qui le possèdera définitivement et qui le dominera : langoureuse, elle cède facilement aux larmes, aux pleurs et aux scènes pathétiques, aux récriminations sur le passé, qui ne pourront être calmés que par des caresses, de la douceur, de la tendresse, et par une attitude à laquelle l'homme qu'elle a choisi aura beaucoup de mal à se soustraire.

Comment la conquérir

Image même de la féminité, la femme du Cancer est très recherchée car elle est affectueuse, douce et capricieuse; au fond d'elle-même, elle rêve du mariage, qui demeure à ses yeux un moment magique; elle se représente une cérémonie fabuleuse, imagine les photographes, les albums de photos qu'elle fera confectionner et qu'elle exhibera pendant les longues soirées d'hiver.

Si vous voulez faire la conquête de ce genre de femme, créez autour d'elle l'atmosphère qui convient, cajolez-la, courtisez-la avec délicatesse et tendresse, mais aussi avec insistance, car vous devez lui montrer que vous êtes au moins aussi tenace qu'elle.

Elle adore recevoir des cadeaux, qu'il s'agisse de fleurs ou de bijoux, car ils constituent pour elle un témoignage tangible de l'attention que vous lui portez constamment. Invitez-la à passer un week-end intime et romantique, sur une plage ou au bord d'un lac. S'agissant d'un signe d'eau, elle adore cet élément et tout ce qui s'y rapporte: les baignades, les promenades sur la plage et sous l'éclat de la pleine Lune. De la même façon, elle aime les draps de satin, les soupers aux chandelles accompagnés d'une musique d'ambiance.

Efforcez-vous aussi d'être assez jaloux et possessif si vous ne l'êtes pas déjà, car, bien qu'elle dise le contraire, elle préfère un homme qui soit constamment à ses côtés pour s'assurer qu'elle n'est courtisée et protégée que par lui.

Prenez de très belles photos qu'elle puisse conserver et admirer, car elle pourra ainsi se souvenir constamment des jours heureux.

Rappelez-vous aussi qu'elle a au fond de sa mémoire le souvenir d'un complexe œdipien et qu'elle a été amoureuse de son père: donnez-lui donc cette impression de protection et de sécurité qu'elle avait peut-être trouvée en lui.

Comment le quitter

Faites-lui peur en commençant à vous imposer avec agressivité, dites que vous ne voulez plus rendre visite à sa mère, critiquez ses goûts et ses affirmations, affirmez que vous n'avez aucun sens maternel et que vous n'aimez pas les enfants. Le coup sera rude pour lui, car il a tendance à projeter sur la femme l'idéal de la mère.
Décidez de changer l'ameublement de la maison, estimant que ses goûts sont trop décadents et déclarez que vous rêvez d'une vie à la spartiate, sans confort, que vous considérez comme un luxe inutile. Il commencera alors à vous jeter des regards méfiants et soupçonneux.
Mais, si par hasard il ne vous avait pas encore quittée, alors, inscrivez-le à un cours de gymnastique ou entraînez-le dans des activités perturbatrices qui le maintiennent hors de chez lui du matin au soir.
Il vous quittera immédiatement pour se réfugier chez sa maman adorée, ou bien dans son doux royaume : la maison.

Comment la quitter

La rupture est toujours un traumatisme pour la native du Cancer, mais si elle y est obligée, elle le fera. Si vous ne lui donnez plus de marques d'affection, qui sont si importantes pour elle, si vous n'appréciez pas les attentions qu'elle a pour vous, mais si vous voulez au contraire imposer votre style de vie, vous susciterez immédiatement des bouderies et toutes sortes de difficultés.
Ordonnez-lui de se conformer à un idéal de vie sportive et sans confort, faites en sorte qu'elle ne puisse plus apprécier les joies de la douce paresse du logis, empêchez-la de se prélasser dans ces bains qu'elle adore, conseillez-lui les

douches froides, excellentes pour la circulation, et obligez-la à en prendre. Elle s'enfuira à toutes jambes.

Comment ils rompent

En tant que signe cardinal, le Cancer, au fond, est assez résolu, et si la décision de vous quitter est pour lui un événement terrible qui le déprime fortement et lui donne des sentiments de culpabilité, de toute façon, c'est vous qui l'aurez voulu, car la faute ne peut venir que de vous : vous ne l'avez pas assez aimé ni compris.
A ce point irréversible de l'affaire, votre ancien partenaire, natif du Cancer, vous submergera de pleurs, de récriminations sur le passé et ne manquera pas de vous dire tout ce qu'il ou elle pense de vous, et même ce qu'il ou elle a toujours vraiment pensé de vous dès votre première rencontre.
Lorsque les natifs du Cancer prennent une décision, ils sont plutôt inébranlables, malgré l'inconstance lunaire qui les caractérise.

Lion

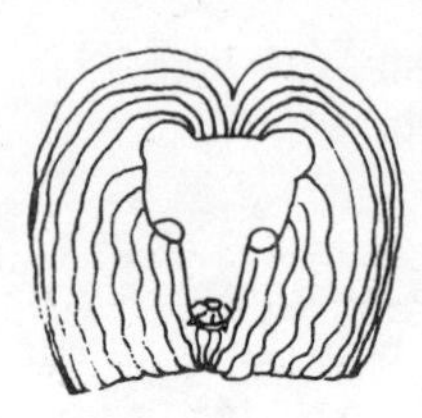

Du 120ᵉ au 150ᵉ degré du Zodiaque
Signe de feu, fixe
Domicile du Soleil
Exaltation de Y-Eole
Exil d'Uranus
Chute de Neptune

Lorsque le Soleil parcourt le signe du Lion l'été éclate au plus fort de la chaleur dans l'abondance des plantes offertes. Tous les fruits arrivent à maturité, et cette période de l'année correspond donc à un moment de prospérité, de bien-être et de récolte. Lorsque le Soleil, son étoile guide, se trouve dans le secteur du Lion, il est dans la zone la plus élevée du ciel et à l'apogée de son éclat. Comme on sait, le Soleil se situe au centre de notre système planétaire, et les natifs du signe du Lion, comme s'ils s'imprégnaient de ces caractéristiques, éprouvent un désir intense (qui peut être satisfait ou non) d'être au centre de l'attention qu'il s'agisse de la famille, du milieu professionnel, politique ou social.
De même que le Soleil, seule étoile du système solaire, envoie ses rayons sur tous les autres corps célestes, chassant les ténèbres de la nuit et l'obscurité, le natif du Lion est franc, ouvert, loyal, sûr de lui, et se place dans la vie dans une situation de domination déjà affirmée. Les natifs de ce

signe ont en effet tendance à manipuler leur entourage et manifestent une prédilection marquée pour le pouvoir.
Fiers, audacieux, ils ont une conscience aiguë de leur force et de leur valeur, qu'ils utilisent pour se distinguer et conquérir la primauté à laquelle ils aspirent.
Ne supportant pas les critiques, ils sont très généreux et aiment faire de beaux gestes. Ils ont grand besoin de confirmations sociales et affectives, ils sont orgueilleux, tiennent beaucoup à leur prestige personnel, et sont en général susceptibles d'être fortement conditionnés par les apparences.
Dans l'Antiquité, le Soleil était vénéré comme un dieu et ce culte est l'un des plus anciens que l'on connaisse.
En tant que divinité, il est celui qui triomphe de l'obscurité et des ténèbres et dont dépendent toutes les manifestations de la vie sur terre, parce qu'il nous inonde de lumière et de chaleur et transforme en vie ce qui, sans lui, ne serait que mort et désolation.
En Astrologie, lorsque l'on dit qu'un individu est du Lion ou de la Balance, cela signifie qu'au moment de sa naissance, le Soleil se trouvait dans ce signe. Ce phénomène détermine les caractéristiques fondamentales du tempérament des natifs de ces signes et il caractérise la façon dont se manifeste leur énergie en général et la direction dans laquelle s'oriente leur volonté individuelle. L'influence du Soleil joue un grand rôle dans la formation des structures psychiques du caractère de chacun d'entre nous.
Le Lion est un signe de feu, le deuxième après le Bélier, mais si le feu du Bélier est anarchique, indomptable, effréné, celui du Lion est plus raisonnable, orienté vers le Moi, consacré à sa magnificence.
La fixité du signe impose une vision optimiste, positive du présent qui exclut le souvenir du passé; les préoccupations du futur dans l'éclat du présent rendent la personnalité du natif du Lion stable et sûre sur le plan émotif.

Mais le fait de se situer dans les événements en ayant tendance à les dominer, ou d'être une personne de pouvoir, ne lui confère pas une grande adaptabilité aux circonstances ou une ouverture aux changements, facultés où excelle le Verseau, son signe opposé du Zodiaque.

Le Lion et l'amour

Comme le symbole qui le caractérise — le lion, roi des animaux — le natif de ce signe possède une majesté naturelle : il a des exigences amoureuses impérieuses, vitales, instinctives, des réactions vives, des certitudes, du courage, des ambitions, une soif de conquête et de domination.
En amour également, il veut absolument être le seul, l'unique, le meilleur, le maître incontesté de la situation. On peut résumer ainsi sa devise : "Tout et tout de suite."
Astrologiquement, ce signe gouverne le cœur, qui est l'organe dont il se sent le plus proche, et qui est en même temps le plus vulnérable. Le cœur étant traditionnellement le siège de l'amour, de l'affectivité, des sentiments et des émotions, on comprendra combien les affaires de cœur comptent pour les natifs de ce signe et comment elles peuvent les absorber totalement.
Ceux qui appartiennent au signe du Lion sont très passionnés et exubérants; ils aiment l'action. Leur puissante volonté, des profondeurs du Moi, leur suggère que "vouloir, c'est pouvoir". Ils se jettent dans l'aventure amoureuse de toutes leurs forces qui sont considérables. Cependant, leur caractère ne ressemble pas à celui du Bélier, qui a du mal à prendre conscience des difficultés inhérentes à une situation, lorsqu'il se heurte à un obstacle. Les natifs du Lion mesurent les forces en jeu, évaluent leur puissance et voient jusqu'où

ils peuvent aller: comme un véritable lion, ils attaquent courageusement à visage découvert, bravant les dangers et acceptant les règles du jeu avec un air de défi.
C'est ainsi qu'ils vivent l'amour, comme un enchaînement de tensions dans lesquelles viennent s'enchevêtrer la volonté, les sentiments, l'orgueil et l'émotivité; en effet, bien que le Lion soit un signe de feu, il possède malgré tout une composante importante d'impressionnabilité et de sensibilité, qui naît du désir de vivre tous les événements le plus pleinement possible, et d'une manière particulière et différente de celle des autres personnes (il n'est pas n'importe qui, il demeure toujours un "roi").
La fixité du Lion accentue la tendance à retenir les impressions reçues, à les élaborer intérieurement et à les organiser; on obtient ainsi un certain degré de maturité et de cohérence, beaucoup plus que chez le Bélier, signe plus capricieux et davantage en proie à des émotions éphémères que le Lion. Ce dernier parvient, au prix d'un certain effort, à unifier et à orienter ses émotions et ses désirs vers un but. En amour également, il mobilise donc et concentre au maximum toutes ses forces intérieures, en les motivant.
Il s'agit d'un organisateur, qui s'efforce de faire coïncider selon son cœur l'idéal et le réel; pour ce faire, il investit la presque totalité de son énergie qui est grande, s'engageant à fond, menant à bien ses projets affectifs et atteignant ses objectifs amoureux. Il est actif, désire résoudre les difficultés qui surgissent, et ce n'est pas le genre de personne à mettre de côté les problèmes non résolus.
Il est impatient, courageux et décidé.
Le signe du Lion est porteur du mythe symbolique du héros national, du chevalier sans peur et sans reproche, du chef, de l'amoureux intrépide et romantique: il "est" celui qui trouve une solution à toutes les situations.
Sur le plan psychique et émotif, le Lion court le risque de

se laisser dévorer par le personnage qu'il s'est lui-même créé et auquel il s'est facilement identifié.
Exhibitionniste, il accorde une trop grande valeur à l'admiration et à l'estime des autres, dans son désir d'être adulé et apprécié. Il a donc besoin d'un partenaire qui, tout en l'adorant et en le cajolant comme il le souhaite, renforce ses sécurités intérieures et le détourne du besoin constant de confirmations extérieures. Sain, fort et passionné, il possède une sexualité impétueuse et violente.
Sa tendance à l'exhibitionnisme s'exprime parfois aussi dans le domaine sentimental, et il peut arriver qu'il devienne le spectateur de ses propres rapports amoureux, limitant ainsi l'intensité de ses émotions et son engagement dans l'amour lui-même.
Il désire s'entourer d'un cadre fastueux, digne du monarque qu'il est; il a besoin de calme, de rencontres tranquilles, d'avoir du temps devant lui.
Il fait un compagnon (ou une compagne) très agréable, chaleureux, sensuel et voluptueux, même s'il a tendance à dominer son partenaire et à prendre en mains la vie du couple.

L'homme du Lion

De tous les signes du Zodiaque, le Lion est certainement celui qui éprouve le besoin le plus impérieux d'imposer sa personnalité et de satisfaire les exigences de son cœur.
Quand il est amoureux, et lorsque son orgueil le lui permet, il est vraiment l'amant le plus merveilleux du monde : son cœur de lion rayonne de vitalité, de générosité et de chaleur humaine. Sa forte nature émotive lui fait ressentir intensément les élans de l'âme et du cœur, en accentuant les joies et les douleurs.
Il ne connaît pas les sentiments mitigés, les passions émous-

sées; son cœur va droit à la réalisation d'un amour complet, sincèrement désiré. Il vit l'amour comme une fête, une occasion exaltante qui lui permet une fois de plus de se placer au centre de l'attention, avec une partenaire digne de lui qui soit à sa hauteur.
Magnanime, il est toujours prêt à satisfaire les désirs de son entourage, car il préfère donner plutôt que recevoir, et il se réalise dans la générosité. Il possède un sens inné de l'autorité personnelle: il n'oublie jamais qu'il est "roi", et en même temps, il attend aussi des autres qu'ils le reconnaissent clairement comme tel.
Brillant, joyeux, il est amical, noble et doté d'une dignité naturelle.
En amour, il préfère les situations franches, parce qu'il est sincère et loyal. La diplomatie n'étant pas son fort, il va droit au but avec franchise, car il se sent invulnérable. Il est individualiste, mais sa vitalité est si intense et solaire qu'il n'a pas besoin d'essayer de s'imposer aux autres. Il s'affirme tout simplement en restant lui-même.
Il répand l'autorité, la majesté, la chaleur humaine en brillant et en séduisant. S'il se rend compte qu'une femme n'accepte pas son image, il devient brusquement distant et insaisissable.
Le seul danger qui guette sa Majesté le Lion est de se laisser griser par sa personnalité et son image au point de les rechercher de façon narcissique en chacune de ses partenaires successives, sans sortir du culte de sa propre personnalité.
Il doit s'efforcer de ne pas transformer en défauts ses merveilleuses qualités, de conserver sa majesté sans céder à l'orgueil, de continuer à briller et à être noble, calme et solennel sans tomber dans la superficialité, dans la fatuité ou dans la vanité gratuite.
Dans la vie amoureuse, il a souvent tendance à manipuler sa compagne, à organiser sa vie et à la façonner de la façon

qu'il considère comme la meilleure pour elle. Ce natif a souvent au fond de lui-même l'idée cachée qu'il représente un Pygmalion moderne, son but étant d'élever la femme aimée jusqu'à lui.
Outre ces aspects de sa personnalité, notre Lion a surtout besoin d'être très aimé, adoré, adulé, et reconnu comme le centre de l'univers. Il saura récompenser plus que généreusement celle qui aura la chance de l'aimer à ce point : il lui donnera son grand cœur tout entier.

La femme du Lion

La femme du Lion est dotée d'une majesté innée. Qu'elle soit une parfaite inconnue ou un membre de la haute société, elle crée autour d'elle une atmosphère pleine de chaleur, de cordialité contagieuse, de sociabilité.
Sa féminité est royale, pleine, exigeante; elle a besoin de prestige et d'occuper des positions d'autorité. Elle possède un tempérament amoureux, chaud, passionné, ardent et plein de vie. L'amour est pour elle source de créativité, d'inspiration individuelle et elle éprouve des émotions fortes et intenses. Lorsqu'elle est amoureuse, elle contamine son partenaire par sa charge d'enthousiasme et sa vivacité. Elle est optimiste et a tendance à ne voir que l'aspect positif des choses. Elle a besoin de se sentir admirée et d'être au cœur de l'attention des autres.
Extravertie et chaleureuse, elle est une vraie meneuse et elle canalise son inépuisable vitalité vers des objectifs amoureux toujours extraordinaires. Dans la rencontre amoureuse, elle aime les actions spectaculaires, les gestes hors du commun et est à la recherche d'un amour inconditionnel.
Son grand désir d'affirmation de soi la pousse parfois à choisir ses relations affectives en fonction du prestige qui en dé-

coule, ou bien, au contraire, en fonction de sa volonté d'élever jusqu'à elle l'être aimé. Elle désire être courtisée, conquise, et veut constamment avoir des preuves concrètes de l'admiration qu'elle suscite chez son partenaire.
Elle ne supporte pas les critiques et n'admettra jamais qu'elle s'est trompée.
Dans les rapports amoureux, elle aura tendance à occuper toute la place dont elle peut disposer. Individualiste et indépendante, elle ne supporte pas les rivales et veut être considérée comme la femme la plus originale du monde, en véritable lionne qu'elle est.
Très sûre d'elle, du moins aussi longtemps que les choses vont bien et qu'elle obtient l'approbation, elle peut cependant traverser des crises profondes lorsqu'elle se trouve confrontée à des situations difficiles ou à des pièges qu'elle doit éviter. Elle s'avère en effet assez réticente lorsqu'il s'agit d'affronter les problèmes fondamentaux : c'est dans ces moments-là que la femme du Lion peut apprendre à fonder son assurance et son estime de soi sur ses propres capacités et sur sa conscience intérieure, plutôt que sur l'adulation d'autrui, à laquelle elle s'attache si facilement.
Relativement dogmatique, elle a tendance à assumer, dès le début des rapports amoureux, l'air d'en savoir plus long que son partenaire et à ne pas écouter ses conseils. Elle est orgueilleuse et dépourvue de la plus petite parcelle d'humilité. Il lui est donc difficile de résoudre les difficultés de la vie amoureuse qu'elle a elle-même provoquées.
L'homme qu'il lui faut doit être généreux, prêt à lui démontrer constamment en paroles et en actes combien il l'aime et l'admire, sans pour cela devenir l'esclave de ses exigences et de ses caprices. Il doit reconnaître la reine en elle, tout en évitant de se montrer trop docile, car la native du Lion, comme les autres signes de feu, en général, a besoin de maintenir la vivacité de la vie amoureuse par des échanges vifs et

continuels, qui rendent la vie du couple mouvementée sur le plan émotionnel.

Comment il conquiert

Dans ses conquêtes amoureuses, il ne choisit jamais des compagnes banales: ses histoires d'amour doivent être vraiment originales. Il réagit en outre aux stimuli les plus voyants, sa compagne devant refléter l'image de son merveilleux Moi. Tyrannique et généreux, il aime la vie de couple, les mondanités, les réceptions où il peut briller, car il désire se sentir admiré par l'assistance.
Il conquiert le plus souvent en faisant la roue comme un paon et en s'exhibant. Quand vous l'aurez enfin remarqué (et comment ne pas le voir?), il passera son temps à vous inonder d'invitations dans des endroits mondains et prestigieux, à vous couvrir de cadeaux aussi coûteux qu'inutiles, car le Lion ne sait pas ce qu'est l'utilité, apanage de la planète Uranus, domiciliée dans le signe opposé du Verseau.
Mais, une fois l'objectif atteint, si vous ne vous méfiez pas, il fera très facilement de vous son fief personnel. Si par hasard vous n'avez pas l'intention de vous laisser séduire par lui, prenez les mesures qui s'imposent, car en tant que signe fixe, il est particulièrement têtu (Neptune, planète de la métamorphose, est naturellement en Verseau). Il vous sera donc très difficile de lui faire comprendre que vous n'avez pas l'intention de changer pour lui.

Comment le conquérir

Pour séduire un natif du Lion, étudiez (si vous ne l'avez pas encore fait) ou approfondissez la notion d'"adoration". Commencez donc par faire une ovation à votre "roi" toutes les cinq secondes et rendez-lui hommage toutes les dix secondes. Si cela vous plaît, si vous trouvez que ce rôle vous va bien, trouvez-lui un public de courtisans disposé à l'applaudir. Couvrez-le de cadeaux voyants qu'il puisse naturellement exhiber, préparez-lui des repas somptueux, et surtout, évitez les tête-à-tête, invitez au moins cinquante personnes, autrement, il risquerait de rester chez lui et de se vexer. Il a horreur des choses intimes qui sont le domaine du signe du Cancer.

Accordez une grande importance aux questions de prestige, au rôle social, à l'aspect brillant et formel de la vie.

Soyez élégante, charmeuse, raffinée, sophistiquée, et surtout, soignez votre mise: égocentrique et orgueilleux comme il l'est, il désire que sa compagne soit celle que tout le monde admire et envie.

Ne l'étouffez pas d'attentions, ne vous mettez pas à lui faire concurrence pour des questions de travail ou de carrière: il est extrêmement ambitieux et il veut briller à lui seul de l'éclat de mille soleils.

Aiguillonnez ses ambitions (si vous pensez que c'est nécessaire), comblez-le d'amour et d'affection, en lui donnant l'impression qu'il est le seul. Alors, il se liera à vous pour toujours, il ne vous quittera pas.

Comment elle conquiert

La native du Lion, précisément à cause de l'énergie de feu qui est liée à son signe, a plus de possibilités que les autres femmes de maintenir l'intensité de sa charge amoureuse et de l'appliquer à ses sujets.

Elle exerce sa séduction de l'intérieur et, ne gaspillant que très peu d'énergie, elle se contente de rester assise sur son

trône en attendant l'inévitable chevalier qui lui rendra hommage et prendra en mains la vie du couple.
Même si elle fait preuve de désir et d'impatience, elle attendra que vous fassiez le premier pas. Ce qui l'excite surtout c'est de susciter le désir des autres. Ayant beaucoup de tempérament sur le plan sexuel, elle adore les préliminaires et fera votre conquête en dégainant toutes ses armes majestueuses de séduction qui vont des nombreux bijoux étincelants, dont elle est toujours admirablement parée, à ses goûts princiers (draps de soie, parfums), en passant par l'aspect royal, imposant et félin dont elle ne se départ jamais. Le manteau imposant dans lequel elle se drape est la meilleure arme de conquête à condition que vous soyez sensible aux apparences.

Comment la conquérir

La femme du Lion aime le côté théâtral de la cour, les beaux gestes; elle veut être adulée et reconnue comme une souveraine : vous devrez la choyer, la cajoler, l'admirer pendant qu'elle fera ouvertement étalage sous vos yeux de toutes ses meilleures armes de séduction, secouant sa crinière royale et donnant des coups de patte décidés.
Elle aime les cours que l'on faisait jadis aux reines : les amoureux, agenouillés à leurs pieds, récitaient des poèmes composés à leur intention et des déclarations d'amour à leur nom.
Si vous voulez la séduire, il faudra lui offrir le fin du fin.
Couvrez-la de cadeaux coûteux et inutiles qu'elle appréciera énormément, de fleurs exotiques et très rares, emmenez-la dans les restaurants les meilleurs et les plus prestigieux, au théâtre, faites-la participer à la vie mondaine, offrez-lui bijoux et fourrures...

Ne la critiquez jamais car elle est susceptible et n'admet pas les erreurs.
Accordez-lui toute votre attention et ne vous lassez jamais de lui dire combien elle est adorable et merveilleuse. Elle rêve de se sentir supérieure à n'importe quelle autre femme et c'est donc l'impression que vous devrez lui donner.

Comment le quitter

Dites-lui qu'il n'est plus un être exceptionnel, mais quelqu'un d'ordinaire, voire d'insignifiant, cessez de l'aduler et il se précipitera peu après pour chercher une femme disposée à le reconnaître comme son roi.
Le Lion n'aime pas être plaint. Il cherchera immédiatement une nouvelle accompagnatrice qu'il affichera à ses côtés, car il est exhibitionniste et il veut que vous sachiez que vous avez été remplacée.

Comment la quitter

Il ne s'agit pas d'une entreprise très difficile, car elle aime être traitée en souveraine et se réfugiera dans un orgueil glacé dès que vous cesserez de la placer au centre de votre attention et de la traiter comme son rang l'exige. Déclarez que vous n'avez pas d'ambition ou de perspectives, emmenez-la dans des endroits peu luxueux et tout à fait ordinaires, comme la pizzeria du coin.
Parlez exclusivement de vous, ne lui offrez plus de bijoux, empêchez-la d'en porter, en déclarant que vous êtes contre le faste et l'exhibitionnisme; commencez à parler de vos amies et à dire que chacune d'entre elles excelle dans certains domaines de l'art et de la littérature... Si vous n'êtes

pas encore arrivé à vos fins, ayez recours à l'avarice sordide et oubliez son anniversaire. Ce sera la goutte qui fera déborder le vase et vous ne la verrez jamais plus.

Comment ils rompent

Ils donnent rarement des explications; ils partent royalement sur de nouveaux sentiers de chasse, suivant des proies, qu'elles soient ou non aussi royales qu'eux. En général, cependant, le Lion est fidèle par nature et il n'a pas tendance à rompre à la légère.
Mais si cela arrive, que ce soit pour crime de lèse-majesté ou pour d'autres raisons, il ne change pas facilement d'idée car il s'agit d'un signe fixe, et il est très improbable que vous le voyiez revenir.

Vierge

Du 150e au 180e degré du Zodiaque
Signe de terre, mutable
Domicile de Mercure
Exaltation d'Uranus
Exil de Neptune et de Jupiter
Chute de la Lune

Lorsque le Soleil parcourt chaque année le signe de la Vierge, du 24 août au 23 septembre, nous sommes à la fin de la dernière phase de l'été. A la joie et à l'enthousiasme de la moisson succèdent une phase d'évaluation critique de la récolte et des décisions concernant la façon de la conserver le plus longtemps possible au cours des mois qui viendront.
Il n'y a plus aucune richesse dans les champs, tout ce que le cycle précédent a donné a déjà été récolté et le nouveau cycle des saisons est encore très loin: la Vierge glaneuse ne jette rien, elle ramasse et rassemble même les derniers épis de blé pour en disposer l'hiver.
Répondant donc aux exigences du moment où ils naissent, les natifs de la Vierge ont souvent un sens inné de l'économie et de la maîtrise de soi; ils s'abandonnent rarement aux joies et à la beauté de la vie.
La planète qui les gouverne est Mercure, qui perd ici les caractéristiques enjouées, jeunes et de communication qu'elle

avait pour les Gémeaux, pour revêtir un aspect plus sagace, critique, réfléchi, calculateur, ergoteur.
La Vierge est un signe de terre, et son Mercure à elle est donc attentif aux problèmes pratiques, aux spéculations avantageuses. Dans la mythologie romaine, Mercure était le protecteur des affaires, des échanges et des activités commerciales.
Doués d'un solide sens de la réalité, les natifs de la Vierge s'occupent surtout de problèmes concrets et sont d'excellents organisateurs car ils dirigent leur énergie mentale sur les aspects économiques, politiques et sociaux du monde qui les entoure.
Intuitifs, ordonnés, méthodiques, réfléchis, ils réussissent toujours à obtenir de bons résultats dans presque tous les domaines d'activités auxquels ils se consacrent et qui leur conviennent : la médecine et tous les soins du corps, la chimie, l'organisation des connaissances scientifiques, la mode et le vêtement, l'alchimie, la botanique.
Mais un danger de taille les guette : ils risquent en effet de faire en sorte que leur amour de la précision et de la méticulosité deviennent des fins en soi; ils peuvent alors se consacrer exclusivement aux affaires avantageuses.
Il arrive aussi que, trop absorbés par l'étude du détail et de la particularité, ils perdent de vue l'essentiel, voire le but de la vie.
L'autre planète qui se trouve en exaltation dans la Vierge est Uranus, qui oriente les natifs du signe dans deux directions, selon leur degré d'évolution : la méticulosité et le souci du détail peuvent ainsi se transformer chez les plus évolués en un véritable altruisme, en une capacité à se rendre utiles, à jouer un rôle, à être indispensables aux autres, d'une façon désintéressée, tout en conservant des capacités d'organisation qui, si elles sont utilisées à bon escient, permettent justement une meilleure utilisation de l'énergie.

En effet, les natifs de la Vierge répondent de façon variable aux vibrations d'Uranus : ce signe est celui des experts-comptables, des calculateurs minutieux, qui spéculent sur leurs émotions, sur leurs relations personnelles avec les autres, s'empêchant ainsi de mener une vie plus authentique et riche en relations humaines sincères et désintéressées.
Mais la Vierge est aussi le signe des grands bienfaiteurs de l'humanité qui jouent un rôle dans des œuvres sociales et humanitaires, dans le domaine de la médecine, de la recherche scientifique et de l'organisation économique, jouant le rôle que la Vierge suggère en réalité à ses natifs : le service, en tant que capacité d'être à la disposition des autres de façon désintéressée.
Tous ceux-ci ont canalisé, en l'harmonisant, l'intelligence pratique de Mercure avec la vibration d'Uranus, qui correspond certes au souci du détail, mais aussi à l'altruisme. Ces personnes ont soulagé les souffrances, les douleurs là où cela était nécessaire, jour après jour, heure après heure, avec patience et générosité.

La Vierge et l'amour

La terre du signe de la Vierge est la plus aride et la plus stérile du Zodiaque tout entier. Elle n'a pas la fécondité de celle du Taureau, elle ne cache pas non plus les germes des plantes sous un glacial manteau de neige, comme celle du Capricorne. Pour compenser cette fragilité matérielle, cette sécheresse, ce sont les voies de l'intelligence et de l'intellectualisation qui prennent le relais, permettant aux natifs de ce signe de canaliser l'énergie dont ils disposent dans l'acuité de l'Esprit. Les natifs de la Vierge ont un caractère réservé, reposant sur la maîtrise de soi et l'auto-discipline : la coexistence avec les sentiments d'abandon, d'abnégation, de

rêve vague que l'amour apporte toujours n'est pas facile pour ces natifs qui se trouvent à la merci d'un Mercure terrestre, extrêmement critique et intransigeant et d'un Uranus plus que jamais porté à analyser les détails.
Le sentiment ne parvient pas à s'exprimer librement et dans sa plénitude chez le natif de la Vierge qui devient réservé, discret, timide, pudique.
Les émotions, qu'elles soient personnelles ou qu'elles appartiennent à autrui, sont soit rejetées, soit analysées, contrôlées, disséquées, critiquées.
La sensibilité amoureuse est repoussée, disciplinée, vidée de sa valeur du fait qu'elle ne revêt aucune forme tangible. Contrairement aux natifs des Poissons, leur signe opposé, qui symbolise l'univers de la sensibilité presque paranormale, qui se perd sans limite dans l'infini latent, inclassable et insaisissable, les natifs de la Vierge éprouvent aussi en amour le besoin de limiter, de cerner, de poser des bornes, des règles, des formes bien définies.
Pour eux, la moindre chose peut revêtir une grande importance, leur anxiété et leur angoisse prennent le visage et l'aspect de mille petits problèmes qu'ils ne négligent pas et dont ils s'occupent de très près.
En amour également, ils possèdent une intelligence trop fine et trop réaliste pour ne pas voir le tour que prennent les choses ou la source de leurs problèmes.
Ils ne cèdent pas à l'instinct. Ils pèsent et évaluent les conséquences d'une aventure. L'appel des sens et de la vie constitue à leurs yeux une menace pour la paix de l'esprit.
Leur réaction naturelle consisterait à se soustraire aux tentations de l'amour et aux sensations car ils y voient instinctivement une menace et une source de souffrance, de tourment, de douleur.
Les forces de l'instinct suscitent chez eux une profonde inquiétude à laquelle ils réagissent en opposant un refus net,

se privant ainsi de la spontanéité, de l'élan, et du naturel. De façon générale ils préfèrent, en amour, l'habitude à l'aventure et une tranquillité assurée à l'ivresse des sens, si celle-ci risque de nuire au plaisir de la quiétude du logis. Cependant, ces formes de renoncement et de détachement ne sont pas dépourvues de tout fondement et elles peuvent ouvrir la voie à une certaine sagesse.

Pour calmer leurs angoisses intérieures et les sentiments d'insécurité qui surgissent toujours du plus profond de leur être, ils se conforment aux habitudes et aux modes du moment. Leur souci de respectabilité s'exprime par une honnêteté scrupuleuse et par leur rectitude de caractère.

Sur le plan émotionnel, ils auraient besoin de quelqu'un qui les aide à être plus ouverts et spontanés, à s'inquiéter un peu moins de tous les petits problèmes sans importance (mais qui comptent beaucoup pour eux) qui les obsèdent toujours et par lesquels ils se laissent assaillir. Ils devraient être aidés à lutter contre leur désir de tout garder pour eux : décisions, actions, sentiments, affections.

Pour s'ouvrir aux autres et à leurs émotions, ils devraient s'habituer à aller au-devant de leur prochain de manière désintéressée, en évitant de le "disséquer" par leur esprit critique et incisif.

En réalité, leurs remarques mordantes ne font que blesser inutilement la personne qui les aime, élargissant toujours davantage le fossé qui les sépare.

Le signe de la Vierge correspond au célibat; cela ne signifie pas que tous les natifs de la Vierge doivent rater leur mariage, mais que leur nature, peu encline à se jeter dans le sentiment et à perdre la tête, les incite souvent à choisir de demeurer seuls.

Parfois, bien que mariés, ils parviennent, même dans la vie de couple, à s'entourer d'une sorte de voile (de protection?) qui les isole et les sépare de leur partenaire.

Ils prennent bien soin de répondre aux besoins matériels de leur compagnon ou leur compagne, mais ils ont du mal à percevoir ses besoins psychiques et les aspirations de son cœur et de son âme.
Il leur faut un partenaire qui les aide à exprimer leur nature amoureuse et leur sentimentalité trop intériorisée et refoulée, qu'ils s'efforcent de compenser par autre chose.
L'être aimé doit cependant leur paraître parfait: fascinant, sensible, très engagé dans son travail, sérieux, honnête, capable; il doit en outre posséder cette spontanéité, cette vitalité, cette verve et cette joie de vivre que n'ont pas les natifs de la Vierge.
Sur le plan sexuel, ils ont tendance à développer l'efficacité technique bien avant la véritable sensualité.
Bien souvent, conditionnés par une très mauvaise éducation sexuelle, ils se laissent brider par de nombreux tabous. Mais s'ils parviennent à se libérer de ces derniers, ils pourront aimer avec générosité, devenant de merveilleux amants.

L'homme de la Vierge

L'homme de la Vierge est un amoureux silencieux, mesuré et maître de lui. Il a tendance à réprimer ses instincts, ses élans vitaux et les sollicitations de son imagination en recherchant l'ordre matériel et moral.
Son besoin d'être rassuré l'incite à s'attacher aux conventions et aux usages qui le protègent des risques et des périls des nouveautés.
En amour également, il désire des relations sereines, tranquilles et réservées, sans surprise d'aucune sorte, liées à l'ordre, à la routine quotidienne faite de chères petites habitudes.
Mais lorsqu'il reçoit les impulsions de son instinct, il n'essaie

pas de les freiner, il les repousse tout bonnement, parfois même en les somatisant sous forme de maladies les plus diverses.
Doué d'une vive intelligence systématique, analytique, ordonné, précis, il concentre souvent, même dans les rapports amoureux, son attention sur le détail, sur la petite particularité, sur la vétille, perdant souvent de vue la situation générale.
Il n'est pas facile de s'adapter à son esprit critique, surtout du fait qu'il a tendance à toucher le point sensible, et donc à blesser.
Il s'agit d'un perfectionniste, ce qui le rend incapable de supporter les défauts de l'être aimé, lequel devrait naturellement, selon lui, refléter l'ordre et la précision qui sont en fait son apanage à lui, et non celui de sa partenaire.
Ses capacités intellectuelles sont souvent supérieures à ses facultés d'expression en raison de l'exil de Jupiter, et c'est ainsi qu'il ne parvient pas toujours à extérioriser ses pensées. Les choses se compliquent encore lorsqu'il s'agit de laisser entendre à sa partenaire les sentiments et les émotions qui l'animent, à condition, bien entendu, qu'il réussisse à les accepter et à vivre sereinement avec eux. Il s'enferme alors dans sa réserve et devient très difficile à comprendre. En amour, il a besoin de disposer de beaucoup de temps, car il doit penser, réfléchir, analyser la situation pour savoir si vous êtes la femme qu'il lui faut ou non.
Ce n'est pas un passionné, et il ne possède pas l'énergie vitale du Bélier ou du Lion.
Il est très improbable qu'il tombe amoureux par un coup de foudre, mais s'il trouve chaleur et compréhension, il peut peut-être se libérer du blocage émotif qui empêche l'expression de ses sentiments. Les passions des natifs de la Vierge mettent longtemps à se réchauffer, mais leur ardeur s'avère ensuite extrêmement constante.

La femme de la Vierge

La femme de la Vierge s'entoure souvent d'une auréole intangible et impénétrable que l'on remarque bien et qui transparaît comme une seconde nature plus cachée, indépendamment de ce que peut être son aspect physique, plus ou moins séduisant.
Comme la Vierge qui la représente en tant que symbole astrologique, jeune fille tenant une gerbe de blé, elle manifeste sa préoccupation pour la pureté et la perfection du déroulement des affaires humaines. Sage, habile, ayant du sens pratique et des dispositions pour les actions positives, elle est extrêmement sûre.
Le fait que la Vierge soit un signe mutable la rend instable et nerveuse, mais favorise aussi ses facultés d'adaptation, de recherche et d'approfondissement.
Bien que très séduisante, elle l'est d'une façon tranquille et ne met jamais en évidence son apparence physique ou son charme.
En amour, elle a tendance à réprimer ses émotions. Sa méfiance naturelle et son manque d'assurance intérieure l'empêchent de se jeter dans des aventures ou dans les bras d'un homme dont elle ne se sent pas suffisamment sûre.
Elle a besoin de rapports amoureux qui la libèrent complètement de ses craintes et de son anxiété.
Elle doit se sentir aimée passionnément, avoir l'impression que son partenaire ne s'intéresse qu'à elle.
Etant donné le facteur d'hermaphrodisme que comporte Mercure, planète guide de la Vierge, elle peut avoir beaucoup de peine à s'abandonner complètement et à éveiller sa passion et ses émotions. Il faut l'aider à le faire, ce qui demande beaucoup de patience, de temps et d'amour.
En raison de son perfectionnisme inné, qu'elle applique aussi aux relations amoureuses, elle a souvent une attitude irré-

prochable, faisant naître des sentiments de culpabilité chez son partenaire qu'elle accusera d'égoïsme.
Elle cherche un amour et une passion honnêtes, parfaits et sans complication (ce qui n'est pas rien!) que, malheureusement, malgré le réalisme et le sens pratique de son caractère, elle ne trouve pas toujours.
Elle a tendance à gâter et à choyer son compagnon en lui programmant une vie confortable et la plus agréable possible, en s'efforçant de le seconder en toute chose. Souvent, par sens excessif du devoir, elle sacrifie et frustre ses impulsions naturelles et cède aux désirs de l'autre, mais c'est un état de choses qu'elle ne supportera pas et qu'elle ne laissera pas durer très longtemps.
Dans les relations amoureuses, elle est profonde, mais elle doit être stimulée, sollicitée, car il lui manque une énergie intérieure qui la fasse briller et resplendir de sa propre lumière. Fascinée par l'amour parfait, elle a tendance à idéaliser ce sentiment et à tomber amoureuse de l'idée de l'amour en soi plutôt que de la personne elle-même. Elle devrait apprendre à accepter davantage ses propres défauts et ceux de son partenaire, pour que s'ouvrent devant elle les portes du bonheur.

Comment il conquiert

Ne vous attendez pas au faste du Lion, à ses cadeaux coûteux ou à ses gestes éclatants. L'homme de la Vierge ramènera tout cela à de justes proportions. Sa cour sera faite de mille petites attentions non coûteuses, d'invitations au restaurant du coin, de promenades à bicyclette, de petits cadeaux utiles et fonctionnels.
S'il s'intéresse à vous, cela veut dire qu'il a déjà beaucoup réfléchi, ce qui constitue déjà, pour lui, une déclaration.

Ne vous attendez pas à ce qu'il vous lise des poèmes ou à ce qu'il vous promène sous les étoiles.
Sa façon de vous aimer et de vous séduire est extrêmement liée au quotidien, aux petits problèmes de tous les jours qui occupent toujours son esprit vif.
Très intellectuel, il fait des critiques et des remarques intéressantes et piquantes sur les faits du jour et il séduira son aimée par son intelligence mordante, son esprit critique et la sagacité concise de ses jugements.
Comme il aime la vie en plein air, il vous emmènera faire du footing, de préférence tôt le matin, lorsque l'air est encore pur, car le natif de la Vierge, en bon hygiéniste, aime à se lever "avec le chant du coq".
Affectueux, il vous soignera avec cœur, vous inondant de médicaments au premier symptôme que vous pourrez manifester. Serviable et attentif, il fera, mieux que quiconque, les petites réparations dans la maison et vous donnera de précieux conseils pour tout ce qui concerne le bon déroulement de la vie quotidienne.

Comment le conquérir

Ce n'est pas facile du tout, car la Vierge est habituellement un signe de célibataires: la solitude ne fait pas peur au natif, qui vit très bien seul dans son monde de mécanismes réglés sur sa longueur d'ondes préférée.
Comme l'influence de Mercure fait de lui un intellectuel, commencez par être intelligente, mais surtout parfaite, car il pèsera soigneusement le pour et le contre d'une liaison avec vous.
Montrez que vous savez faire bon usage de l'argent, évitez absolument de vous livrer à de folles dépenses en sa présence, et n'attendez jamais de lui une attitude romantique ou

une déclaration d'amour; montrez-lui que les régimes, les traitements par les plantes et les médecines parallèles n'ont pas de secret pour vous.
Devenez provisoirement une maniaque de la propreté, et surtout, ne vous avisez pas de laisser un grain de poussière sur vos meubles en sa présence. N'essayez pas non plus de déplacer les bibelots ou les plantes chez lui, il pourrait avoir une attaque et vous jeter de la fenêtre du cinquième étage.
Apprenez par cœur le plus de chiffres possible, soyez précise dans vos évaluations, vos jugements et vos dépenses.
Mais surtout, laissez-le à l'écart des mondanités. C'est un homme réservé qui déteste l'exhibitionnisme et le snobisme.

Comment elle conquiert

La coquetterie n'est pas son fort. Maigre, timide, réservée, elle n'a presque jamais recours aux armes typiquement féminines.
Très intuitive sur le plan amoureux, elle parvient presque toujours à comprendre comment il faut séduire l'homme qu'elle aime. Elle le convainc par des compliments et fait tout pour lui faciliter la vie et la rendre plus confortable, car elle comprend très bien quels sont ses besoins, mieux peut-être que les siens propres.
C'est ainsi qu'elle parvient indirectement à le persuader qu'elle lui est indispensable, ce qui, d'ailleurs, peut aussi être la vérité, car elle est généralement très efficace. Toujours prête à le plaindre, elle s'intéresse à tout ce qui le concerne, à ses plats préférés, aux couleurs qui lui plaisent, à ses centres d'intérêts politique et culturel, et elle va faire absolument tout ce qui est en son pouvoir pour qu'il soit satisfait, content et serein à ses côtés.
Comme elle manque d'assurance, elle est très jalouse. Mais

elle sera parfois prête à avaler des couleuvres si besoin est car elle ne veut pas perdre son partenaire.
Son amour est profond, il peut durer de longues années, mais il peut malheureusement être gravement compromis par l'importance des critiques pointilleuses qu'elle adresse à son compagnon. Cette attitude risque de le pousser à se protéger derrière un mur qui le mette hors de portée de l'esprit mordant et du perfectionnisme de sa compagne.

Comment la conquérir

La femme de la Vierge possède un sens pratique très développé, une intelligence lucide qui lui permet de procéder à une analyse rigoureuse de n'importe quelle personne. Les gestes théâtraux n'ont guère de prise sur elle, de même qu'elle ne s'intéresse pas aux voitures de course, aux invitations à des dîners fabuleux, aux cadeaux royaux. Ces attitudes aggraveront la situation, car elle pensera que vous ne connaissez pas la valeur de l'argent et n'aura plus jamais confiance en vous. Inutile, donc, de jeter de la poudre aux yeux. Avec du temps et de la patience, vous pouvez devenir son ami, instaurer avec elle des dialogues amusants, sympathiques et capables de la stimuler, faire des remarques originales.
Si vous réussissez à la dégeler et à gagner sa confiance, il est probable qu'elle deviendra une femme extrêmement romantique, à l'imagination débridée et très vive, même si elle demeure toujours quelque peu jalouse.
Evitez absolument les angoisses et les peurs: elle en a déjà suffisamment (surtout face à l'avenir). Vous devez au contraire l'aider à vivre sans soucis. Il vous incombe de transformer son ardeur amoureuse en solide amour d'elle-même et de vous.

Comment le quitter

Comme il s'agit d'un perfectionniste, d'un maniaque de l'ordre et de l'hygiène, commencez par entamer un par un ces trois principes sacrés, puis les trois en même temps : dites-lui que la propreté est une forme de névrose dans laquelle se réfugient les complexés de notre société, et que vous avez décidé de ne plus vous laver, car vous n'êtes pas, vous, porteuse de cette tare psychologique. Et si cela ne suffisait pas, ce que je ne vous souhaite pas, commencez à saboter l'ordre sacro-saint dans lequel il vit, faites en sorte qu'il ne trouve plus rien (naturellement, vous ne trouverez pas plus vos affaires que lui, c'est un stratagème qui sera dur pour vous aussi), changez la disposition des meubles et des bibelots à son insu, agencez les meubles et les livres dans un savant désordre. Il ne tiendra pas longtemps et vous aurez gagné la partie.

Comment la quitter

Fidèle et monogame, elle préfère souvent vivre en frustrée plutôt que d'affronter les changements de situation, car sa nature l'incite à conserver les choses existantes et elle accepte mal l'idée de rester seule.
Efforcez-vous de ne plus vous adapter au monde merveilleux qu'elle aura programmé pour vous, et prenez une initiative qui la mette mal à l'aise. Par exemple, un voyage d'aventures, plein de surprises, de nouveautés et de contretemps. Attaquez-vous à son besoin de sécurité matérielle, en commençant à dilapider vos économies en folies et en objets voyants et inutiles et vous verrez qu'elle vous laissera le champ libre.

Comment ils rompent

L'aspect uranien de la Vierge est plutôt radical, et bien que les natifs de ce signe ne soient pas très enclins aux ruptures et aux séparations, lorsqu'ils se décident, ils le font brusquement et pour de bon, surtout s'ils ont un autre amour en vue ou s'ils aiment déjà quelqu'un d'autre. Leur décision sera alors irrévocable. Naturellement, ils ne manqueront pas auparavant de tirer au clair toutes les questions pratiques, afin que vous puissiez calculer minutieusement et rigoureusement ce qui revient à chacun d'entre vous.

Balance

Du 180e au 210e degré du Zodiaque
Signe d'air, cardinal
Domicile diurne de Vénus
Exaltation de Saturne
Exil de Mars et de Pluton
Chute du Soleil

Lorsque, chaque année, le Soleil entre en Balance, septième signe du Zodiaque, un nouveau cycle biologique commence et l'équinoxe d'automne marque le début de la nouvelle saison. L'analogie saisonnière est la suivante : en octobre, la tâche de la Balance consiste à sélectionner la semence qui convient le mieux pour la prochaine récolte et le terrain le meilleur pour l'accueillir.

Décider est une chose très importante pour la Balance, car son choix déterminera le bon résultat de la prochaine récolte.

Ce caractère extrêmement sélectif se reflète dans la nature des natifs du signe qui, malgré leur apparence extrêmement douce, leur cordialité, leur gentillesse et leurs bonnes dispositions à l'égard de leur prochain, sont extrêmement durs, rigoureux et rationnels lorsqu'il s'agit d'opérer des choix qui comptent beaucoup pour eux.

C'est un signe d'air, d'air tiède et automnal; les natifs de la

Balance se réalisent dans leur besoin de contacts humains avec le monde qui les entoure. Vénus est la planète guide de la Balance, mais elle perd dans ce signe d'air une bonne partie du matérialisme et de la sensualité qu'elle a dans le Taureau, communiquant aux natifs de la Balance le désir de donner de l'affection, de vivre en harmonie avec les autres. Cela fait d'eux des compagnons désirables et agréables, dotés de diplomatie, de grâce, de tact et de bon goût.

Le symbole qui distingue les natifs de ce signe est la balance, représentant évidemment la justice. C'est ainsi que, suffisamment détachés, ils sont extrêmement sensibles aux questions de principe et d'équité, auxquelles ils tiennent beaucoup, car une lacune dans ce secteur peut perturber leur fragile équilibre psycho-émotif.

Ces natifs, nullement agressifs, parviennent cependant à être très durs et à remettre à sa place quiconque se met en travers de leur chemin ou bafoue ce en quoi ils croient. Ils possèdent un monde intérieur incroyablement riche et leur véritable force secrète tient à une philosophie de vie quasi orientale, grâce à laquelle ils se sentent forts et vainqueurs, capables et créatifs, précisément parce qu'ils se trouvent en harmonie avec les lois cosmiques universelles et en syntonie avec les principes de l'Etre.

N'oublions pas en effet que la Balance gouverne les peuples orientaux, lesquels, comme on sait, ont bien davantage développé la partie intérieure de leur Moi. C'est également pour cette raison que de nombreux natifs du signe sont attirés par le Bouddhisme, par le Zen, par les philosophies orientales qui leur sont d'un grand secours sur tous les plans : psychique, mental et même physique.

Les principes des philosophies orientales s'adaptent bien à la recherche innée de la voie du milieu et du point d'équilibre qui caractérise la nature de la Balance. Elle déteste les tonalités violentes, déchirantes, désacralisantes... tant dans

les propos que dans les sentiments, et elle s'attache à faire osciller ses plateaux en un doux balancement et dans une gamme de vibrations qui doivent être harmoniques et en aucun cas dissonantes.
Sensible et vulnérable, elle est toujours agréablement sociable et disposée à ouvrir le dialogue avec qui que ce soit.
Son succès, en amour, est toujours incontesté, mais le monde affectif est très important pour elle et la naissance d'une relation amoureuse, aussi brève et fugace soit-elle, a toujours quelque chose de merveilleux qui fait qu'elle se sent vivante, engagée, pleine de vitalité et stimulée.
Saturne lui impose la rationalité, le jugement, la sélectivité, la sagesse, Vénus lui offre l'amour, le sens de l'esthétique, le goût de l'art; c'est à la Balance qu'il incombe de concilier, dans le doux balancement de ses plateaux, les termes du binôme "amour et sagesse".

La Balance et l'amour

Le thème principal de la vie des natifs de la Balance, signe de Vénus céleste, est l'amour, conçu comme besoin de se compléter à travers l'autre. En raison, précisément, de leur nature profonde, les natifs de ce signe sont des créatures délicieuses, pleines de contradictions: leur regard attire et repousse en même temps. Ils ont des façons de faire extrêmement changeantes: ils font alterner les élans de spontanéité joyeuse et d'abandon avec des moments de sérieux, de réflexion, de crainte et de repli sur soi.
La vie quotidienne, elle aussi, est pleine de sentiments contradictoires: Vénus les invite à sourire et à donner leur assentiment, même lorsqu'ils ne sont pas d'accord. Ils ne disent que rarement ce qu'ils pensent vraiment par peur de blesser et de déplaire aux autres.

Ils hésitent toujours entre deux opinions contradictoires, et en définitive, ils adoptent une attitude polémique pour des vétilles et se querellent pour des questions de principe.
Lorsqu'ils se montrent rigides et anguleux, ils forcent leur vraie nature et ne se sentent pas du tout à leur aise. Ils sont alors disposés à revoir rationnellement leurs positions. Ils souhaitent en tout cas au fond d'eux-mêmes que l'on trouve un moyen de faire la paix et de concilier les deux parties, mais en respectant aussi leur opinion.
Comme partenaires amoureux, les natifs de la Balance sont vraiment des êtres idéaux, aimables, désirables, agréables : le seul risque que l'on court avec eux est de les voir s'évanouir un jour ou l'autre et de les perdre.
Gentils, tendres, attentionnés, affectueux, sympathiques, beaux, pleins de charme, dotés d'un goût sûr, tendres, délicieux, tous les qualificatifs les plus doux et les plus harmonieux leur appartiennent de droit naturel.
Leur esprit agile, sollicité par tout ce qui est beau, artistique, séduisant et esthétiquement parfait, stimule leurs amis et les membres de leur famille. Leur esprit formule de belles pensées harmonieuses, imprégnées d'une logique rationnelle, instinctive, linéaire et dépouillée. Ce n'est pas, pourtant, en fonction de critères logiques que les natifs du signe orientent leur vie, mais en fonction de la recherche de l'amour, du sentiment et des affinités électives. Ils se sentent unis au monde par le réseau des liens d'affection, de sympathie, de tendresse et de cordialité qu'ils parviennent à susciter chez les autres, gagnant le cœur de l'être aimé précisément parce qu'ils sont prêts à donner le leur, créant autour d'eux un climat d'harmonie et d'affectivité atténuée et fluide dont ils ont besoin pour être eux-mêmes.
Le plus grand danger qui les guette est de trop se prêter au jeu des flatteries, à l'irrésistible plaisir qu'ils éprouvent à être désirés et à désirer, plaisir auquel ils ne peuvent renon-

cer, parce que ce sont des moments où ils se sentent terriblement pleins de vie. C'est une sensation qu'ils n'ont généralement pas en d'autres circonstances, car le signe de la Balance a le Soleil en chute, ce qui signifie que la force solaire, lumineuse, vitale et expansive, est en déclin, et que la capacité d'enthousiasme et d'ardeur est extrêmement réduite chez eux.

Souvent, tout cela les incite à se limiter à des relations relativement superficielles.

Les natifs amoureux courent également le risque de se laisser trop absorber par une seule personne, objet de leur amour, et de se soumettre complètement à son influence, se privant ainsi et s'isolant du monde de contacts et de relations sociales qui leur est tellement indispensable. En effet, le plateau de l'introversion requiert son égal et opposé, autrement dit, une dose égale d'extroversion pour la réalisation de l'équilibre magique.

Les natifs de ce signe ont donc besoin d'un partenaire qui les comprenne profondément, sans cependant se permettre de mettre trop à nu les inévitables contradictions de leur caractère, car ils détestent que l'on découvre le secret de leur véritable personnalité. Il devra aussi accepter constamment avec amour la mauvaise humeur inexplicable et les journées noires qui suivront des moments de joie et de sérénité tout aussi injustifiables.

Il doit en outre les laisser libres de papillonner brillamment autour de leurs passe-temps, de leurs intérêts artistiques, de leurs connaissances, des réceptions, des fêtes, bref, d'avoir tous les contacts humains aimables et parfois superficiels dont ils ont besoin pour se sentir vivants.

Il faut constamment les rassurer, et leur partenaire doit aussi être en mesure de leur donner toutes les certitudes qu'ils désirent, de ne presque jamais les critiquer, et, s'il le fait, de procéder doucement et comme s'il les complimentait (si-

non, ils entrent en dépression, s'auto-détruisent, et vous ne les retrouverez plus).
Sur le plan sexuel, le natif de la Balance a absolument besoin d'un cadre romantique et confortable pour pouvoir exprimer l'amour physique : extrêmement sensible aux stimulations verbales, il adore la musique, les histoires romantiques et érotiques, les dîners intimes aux chandelles, les fantaisies sexuelles, les parfums, huiles, encens, à condition qu'ils soient de bon goût et de la qualité la plus fine que l'on puisse trouver dans le commerce.
En somme, son partenaire doit veiller à créer le climat qui convient le mieux à la nature de ces créatures vénusiennes, véritables divinités de l'amour. Elles veulent être courtisées, aimées, choyées, persuadées et admirées sans réserve, d'une façon très raffinée, jamais trop voyante ou grossière, ce qui les indisposerait certainement, les irritant et provoquant chez elles une vague de scepticisme dédaigneux.
Au-delà de tout, ils sont surtout attirés par des partenaires polis, élégants, propres, bien habillés et à la mode, bien coiffés, prêts à sourire, qui prononcent de belles paroles fluides et possèdent une technique amoureuse très raffinée.

L'homme de la Balance

Vénusien, le natif de la Balance a profondément besoin de s'extérioriser à travers une autre personne qui l'absorbe complètement et dont il puisse partager les idées, les intentions, les idéaux, les rêves, les journées et les soirées.
Mais il est très improbable que ce soit le cas, et lorsque cela arrive, cela ne dure pas. L'homme de la Balance, très équilibré et mesuré, a du mal à tomber profondément amoureux. Comme la native de son signe, il est surtout séduit par l'idée de l'amour qu'il a tendance à idéaliser. La Balance est le

point de l'équinoxe d'automne, et à partir de ce jour-là, 23 septembre, les nuits s'allongent et les jours diminuent; cela signifie que l'obscure force spirituelle est en augmentation, alors que la force lumineuse solaire matérielle est en déclin. Ce phénomène se reflète dans la nature de la Balance, se concrétisant en une exigence purement esthétique et vénusienne, qui tend à dématérialiser et à fluidifier les choses, à les débarrasser de leur aspect le plus grossier, le plus dense, le plus ordinaire, en se conformant à un idéal précis de beauté et de perfection esthétique qui se trouve en lui.
Tout cela risque de devenir une recherche parfois maniaque de la belle forme, qui apparaît sous son meilleur angle, vidant les personnes et les choses de leur contenu le plus valable et le plus authentique.
Si l'on sait le comprendre, il fait un merveilleux partenaire, fascinant, intelligent, gentil, amusant, sympathique et stimulant, doué d'un sens de l'humour subtil. Il faut cependant faire attention à son caractère qui, comme nous l'avons déjà dit, reçoit également l'influence de Saturne, planète de la solitude, et n'est donc pas particulièrement facile.
Le natif de la Balance désirera donc parfois, à juste titre selon lui, être laissé seul avec lui-même, mijotant dans ses pensées méditatives, ou dans ses petits nuages gris et noirs ou gris et roses.
Très souvent, du fait de son profond besoin d'harmonie et d'esthétique, il se laisse séduire par la beauté superficielle et ne parvient pas à vivre l'amour dans ses aspects les plus authentiques et les plus profonds. Il aime non pas parce qu'il est vraiment amoureux, mais parce qu'il est incapable de renoncer à l'émotion que la relation amoureuse en soi peut lui procurer. Il sait, au plus profond de son être, que l'amour est l'union du cœur et de l'âme, et c'est en essayant de réaliser cette merveilleuse harmonie qu'il entend résonner dans un ciel lointain, qu'il se laisse entraîner dans de

nombreuses aventures qui, souvent, ne le touchent pas sur un plan émotionnel et sentimental très profond.
En réalité, il ne sait pas dire "non", et il a tant besoin de ne déplaire à personne qu'il évite toute action, toute parole qui puisse blesser l'autre ou le faire souffrir.
Vénus apporte de la profondeur à sa nature émotionnelle et des nuances de sensibilité à sa personnalité. Le caractère cardinal du signe, en revanche, s'exprime dans le fait qu'il veut commander ou guider, et qu'il y parvient, d'une manière ou d'une autre.

La femme de la Balance

Pour les mêmes raisons qui poussent le natif masculin du signe à temporiser, la femme de la Balance a tendance, dans la vie privée, à éviter soigneusement toute décision qui comporte des risques émotionnels, car elle ne veut pas être responsable de la douleur et de la souffrance des autres.
Le manque de décision dont elle fait preuve, les retards qu'elle a tendance à provoquer sont dus au fait qu'elle ne veut absolument pas vexer ou blesser qui que ce soit, ni aller à l'encontre des règles sociales qu'elle a tendance à respecter.
Elle est également un être plein de contradictions, et si elle manque de maturité, elle peut passer d'un extrême à l'autre: douce et féminine, en raison de l'absence totale d'agressivité qui la caractérise, elle rêve souvent d'être un homme à la volonté de fer, s'obligeant parfois, dans un sursaut, à prendre des décisions radicales. Cela ne correspond naturellement pas à sa vraie nature, profondément féminine, douce, séduisante, paresseuse et vénusienne, mais elle a rarement conscience du potentiel féminin qu'elle a en elle, de même qu'elle ignore l'auréole de sensualité qui émane d'elle.

Elle ne met pas toujours en évidence ses dons et ses capacités, et sur le plan sexuel, bien qu'elle puisse devenir une partenaire adorable, langoureuse ou passionnée, elle adoptera toujours une attitude réticente, car elle veut être convaincue, persuadée, courtisée et admirée.
Bien qu'elle soit très belle et pleine de charme, elle manque souvent terriblement de confiance en elle, et a un besoin désespéré d'être complimentée et appréciée. Elle doit apprendre à se juger à sa juste valeur, à s'estimer davantage, non pas seulement pour son apparence physique, mais surtout pour la grande foi et la force intérieure dont elle fait preuve chaque fois que les contingences l'exigent.
Poussée par le besoin de trouver l'union parfaite et idéale, elle peut avoir de nombreuses relations. Son incapacité à dire “non” fermement et son désir de ne déplaire à personne peuvent l'entraîner dans des situations confuses dans lesquelles on la voit aux côtés de personnages douteux, et son manque d'assurance la pousse quelquefois à chercher des confirmations continuelles dans l'admiration des hommes en s'appuyant sur eux.
La native de la Balance, précisément parce qu'elle exprime les dernières journées du soleil tiède de l'automne, oscille entre une frivolité et une superficialité excessives d'une part, et une sagesse profonde et insoupçonnable d'autre part, entre le réalisme le plus savant et le plus calculé et le charme vague du rêve le plus irréel et le plus indéfini, entre des éclairs de joie et de bonheur et de mystérieuses mélancolies dans lesquelles elle se laisse enfermer comme dans un cocon mortel. Elle devrait nourrir davantage son Moi véritable, le plus profond de son être, se soucier un peu moins des apparences et vivre heureuse dans le monde doux et rose que Vénus, sa déesse protectrice, a préparé pour elle.
La Balance est une femme honnête, loyale et poétique qui a besoin de déclarations d'affection dans l'intimité.

Comment il conquiert

Sa meilleure stratégie est la non-action. On ne sait comment ni par quel prodige il se borne à vous sourire pendant que vous devez tout faire, naturellement sans jamais lui forcer la main, surtout!
De même qu'il y a deux plateaux, il y a toujours deux femmes dans la vie d'un homme de la Balance entre lesquelles il doit se décider. S'il ne prend pas de décision — il se sent souvent paralysé au moment où il doit faire un choix — ce sera à vous de choisir à sa place.
La meilleure solution est peut-être d'offrir à votre rivale un voyage d'études de cinq ans dans les lointaines îles Fidji. Elle quittera ainsi la scène et vous demeurerez la protagoniste incontestée, du moins jusqu'au moment où votre homme de la Balance laissera monter une autre femme sur le plateau resté vide.

Comment le conquérir

Si vous avez gagné le titre de Miss Univers, vous pouvez espérer lui laisser croire qu'il vous a choisie, mais si vous êtes tout aussi jolie, sans pour cela avoir gagné un titre de ce genre, alors l'absence de confirmation officielle de vos qualités risque de constituer un obstacle dans la conquête de votre Balance, car, du fait de l'incertitude qui le caractérise, il a besoin du plus grand nombre possible de confirmations officielles des autres. Mais attention, les titres de beauté ne lui suffiront pas. Il est intelligent et exprime souvent des jugements tranchants, alors ne soyez surtout ni stupide, ni banale, ni trop conventionnelle, capricieuse, certes, mais sans jamais vous laisser aller à un geste douteux. Soyez active, dynamique, joyeuse, sans pour autant le surmener, car il a le Soleil en chute et pourrait se fatiguer rapidement. Surtout, attention à votre voix : elle doit être basse, mélodieuse et adaptée à la circonstance. Autrement, vous risqueriez d'offusquer horriblement sa délicate perception auditive qui ne supporte que les sons harmonieux.

Comment elle conquiert

En raison du manque d'assurance intérieur qui lui est propre, et de son besoin exacerbé de confirmations extérieures, elle parvient à se transformer en une très belle sirène en lamé, capable de fasciner qui que ce soit.
Son sourire, mystérieux et malicieux, sa voix harmonieuse et agréable, jamais disgracieuse, ses yeux souvent rieurs expriment tout le charme de sa nature pleine de contradictions qu'elle n'a jamais le courage de montrer totalement : aguichante et innocente, sage et ingénue, jeune et vieille, accommodante et agressive, en réalité, elle ne sait guère ce qu'elle veut, moins encore si elle désire vous conquérir.
Ce qui lui plaît le plus est de se balancer entre les plateaux des décisions qu'elle ne prendra jamais. Elle sait parfaitement utiliser les arts féminins et connaît remarquablement les techniques amoureuses, mais incertaine comme elle l'est, elle ne sait jamais jusqu'où aller et elle ne se “décidera” (verbe tout à fait suspect pour l'ensemble des natifs du signe) jamais à les mettre en pratique si elle n'est pas persuadée, rassurée, priée... au moins mille fois.
Comme vous l'avez certainement déjà compris, la stratégie de conquête de la femme de la Balance consiste à attendre que l'homme qu'elle aime la séduise. Si vous êtes son partenaire, vous pouvez manquer de décision, ce n'est pas grave : elle adore l'attente, les états d'incertitude et toutes les questions contradictoires qui lui permettent de faire tinter ses

petits plateaux d'argent : reviendra-t-il, ne reviendra-t-il pas, est-il vraiment l'homme du destin, à moins que... qui sait... mais... enfin... c'est-à-dire que... je ne sais pas... pourquoi... comment...

Comment la conquérir

Charme, douceur, beauté, voilà les meilleures armes pour conquérir une native de la Balance. Soignez la forme au maximum et faites-lui une cour douce, harmonieuse, mais décidée. Envoyez-lui des orchidées ou des fleurs très raffinées, offrez-lui des parfums doux et enivrants, invitez-la dans des endroits luxueux, à des expositions d'art contemporain ou classique, à des concerts de belle musique. Mettez à sa disposition un décor très élégant et le plus romantique possible, fait de très beaux objets, de tons estompés, de lumières tamisées, et de couleurs pastels... alors, cette aimable créature vénusienne vous donnera certainement une réponse positive.
Mais si cela ne suffisait pas, il y a toujours une chose à laquelle elle ne saurait résister : récitez-lui au clair de lune (d'une voix très belle et très mélodieuse, naturellement) un poème d'amour écrit pour elle. Elle cédera certainement à une telle tendresse poétique et tombera immédiatement dans vos bras.
Si vous parvenez à matérialiser, ne serait-ce qu'un instant, un coin de la terre des songes et des féeries dans laquelle elle se plaît souvent à se retirer pour laisser libre cours à son imagination, elle pensera qu'elle a trouvé un autre être merveilleux, aussi sensible qu'elle, et elle vous adorera, pensant que vous pouvez la comprendre sur le plan matériel et sur le plan spirituel.

Comment le quitter

C'est très facile : commencez par vous négliger, paraissez humblement vêtue, sans accessoires ni bijoux, dans la sobriété, sans rien concéder à la fantaisie et au caprice. Racontez-lui que vous ne voulez plus être belle, que cela ne vous intéresse plus, et même que vous voulez vous transformer en quelqu'un d'absolument ordinaire.
Affirmez que l'esthétique et la recherche de la forme ne sont qu'apparence, illusion et frivolités inutiles, et qu'il faut les dépasser pour poursuivre l'évolution personnelle. Dites-lui qu'en ce qui vous concerne, vous avez désormais l'intention de ne cultiver que vos dons psychiques et intérieurs. Si, à ce moment-là, il ne vous a pas encore mise à la porte, il suffira que, de façon légèrement masochiste, vous vous montriez au-dessous de vos possibilités esthétiques, que vous arboriez la coiffure qui vous va le moins bien, le vêtement le plus laid, ajoutant à cela un parfum vulgaire. Il aura des frissons d'horreur, prendra peur, et s'enfuira rapidement.

Comment la quitter

Là encore, ce n'est pas très difficile dans la mesure où il suffit de s'attaquer à son bon goût inné : soyez inélégant, démodé, faites preuve d'un goût tout aussi douteux. Faites-lui croire que vous êtes débraillé et brouillon, que vous n'avez ni sens critique, ni intelligence, que vous ne pouvez pas apprécier la beauté puisque vous n'avez aucun sens esthétique. Dites-lui que vous avez un enrouement chronique, parlez d'une voix criarde ou utilisez des mots qui ont une consonance désagréable. Son extrême sensibilité, en particulier en ce qui concerne les voix masculines, ne subira pas cet outrage acoustique un instant de plus.

Comment ils rompent

Si vous ne les avez pas sérieusement provoqués en suivant l'un des conseils donnés plus haut, vous pouvez aussi vous attendre à ce que les natifs de la Balance ne vous abandonnent jamais vraiment, parce qu'ils sont incapables de dire non et qu'ils éprouvent une sorte de difficulté à rompre les relations qui ont fait leur temps, même si elles n'ont plus de sens.

Comme ils voudraient rompre en douceur, ils se heurtent à des problèmes, car il est évident qu'un certain nombre de choses ne peuvent se faire de cette manière, alors ils attendent, ils disent sans dire, ils hésitent et se demandent cent fois "je me trompe peut-être, elle est peut-être vraiment la femme de ma vie, enfin, qui sait..." et à ce rythme, les années et les vies passeront, et si vous ne vous décidez pas à mettre complètement hors-jeu votre chère Balance, vous ne résoudrez jamais le problème.

Scorpion

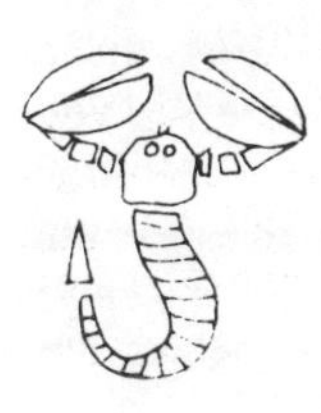

Du 210ᵉ au 240ᵉ degré du Zodiaque
Signe d'eau, fixe
Domicile de Mars et de Pluton
Exaltation de Mercure
Exil de Vénus
Chute de Jupiter

Lorsque le Soleil traverse chaque année le signe du Scorpion, la nature affronte une grosse transformation.
Tout ce qui reste du précédent cycle de la végétation doit être détruit et transformé en quelque chose qui puisse renaître lors du printemps suivant. Les arbres, dont les feuilles ont pris de merveilleuses nuances et des tons harmonieux avec le dernier soleil de la Balance, commencent à se dépouiller et les premières brumes des aurores de novembre saluent une nature qui donne l'impression qu'elle est en train de mourir.
Les éléments qui appartiennent au cycle biologique précédent sont obligés de subir une grosse transformation s'ils veulent faire partie du prochain cycle.
Novembre est le mois des semailles et c'est ce moment si important qui marque le commencement d'une nouvelle aventure pour la future plante. Celle-ci, en réalité, ne démarre pas dans les conditions les plus faciles, car elle devra

survivre pendant longtemps cachée et enterrée dans l'obscurité la plus complète pour que la petite graine de novembre devienne la petite plante fanfaronne du Bélier.
Mars, planète guide du Scorpion, représente l'agressivité, mais alors qu'elle s'exprime chez le Bélier par une violence qui parvient à s'extérioriser et à se manifester à la lumière du Soleil, chez le Scorpion, comme la graine que l'on enterre, l'agressivité martienne, tout en étant puissante, demeure cachée, dissimulée dans le sein de la terre et elle attend l'occasion qui convient le mieux pour se manifester.
A travers le signe du Scorpion, le Zodiaque nous dit que toute mort porte en soi une nouvelle naissance : la petite graine cachée devra mourir, renoncer à elle-même et à son essence de graine si elle veut devenir une nouvelle et luxuriante forme de vie, et donc renaître.
Le fait que ce signe doive affronter la mort et la renaissance, naturellement au sens figuré, l'entoure d'une auréole de charme et de mystère. Intelligents et intuitifs, les natifs de ce signe éprouvent au fond d'eux-mêmes une incroyable soif de connaissance, d'approfondissement, de dépassement.
De caractère difficile et parfois irascible, ils aiment le risque et les situations dangereuses. Ils sentent qu'ils ont en eux l'immense potentialité que leur donne Pluton, l'autre planète du signe.
Parfois, ils ne parviennent pas à canaliser de façon positive ces ressources dont ils disposent, car leur nature enchevêtrée peut être pleine de problèmes et de conflits intérieurs qu'il faudrait résoudre avant toute chose.
En réalité, leur âme est confrontée pour la première fois au mystère de leur propre existence : qui sont-ils? Quel est le but de la vie? Pourquoi sont-ils nés? Où iront-ils?
Souvent dotés d'une intuition exceptionnelle et d'un puissant magnétisme, ce sont des personnalités presque toujours fascinantes et mystérieuses.

Amants passionnés, ils vivent le sexe et l'amour avec une forte charge érotique qui les rend incomparables dans ce domaine. Ils vivent les rencontres amoureuses avec une incroyable tension et une émotion intense, mais ils distinguent souvent le côté affectif et romantique de l'aspect érotique et sexuel.
Le besoin d'aimer et de posséder l'autre à travers le sexe est si fort qu'il peut devenir une fin en soi, être surestimé et entraîner des dégénérescences, s'il ne se nourrit pas d'un amour authentique et contenu dans les limites de la morale et de la raison.

Le Scorpion et l'amour

Les mythes que la tradition attribue au Scorpion sont innombrables, et puissants sont les symboles qui le représentent : le scorpion, le serpent, l'aigle et le phénix.
Les natifs de ce signe expriment leur nature inquiète et passionnée également sur le plan affectif.
Contrairement à ce qui se passe pour le Taureau, son signe opposé du Zodiaque, tout ce qui a une valeur liée à la jouissance, à l'acquisition avide de biens, au calme et à la réflexion devient pour le Scorpion analyse, approfondissement, besoin de diviser et parfois même de détruire. Le soin, la tranquillité, la patience avec lesquels le Taureau se nourrit, construit, acquiert et qu'il insuffle aux êtres qu'il aime, deviennent chez le Scorpion le désir de réduire à l'essentiel, le besoin de décomposer, de disséquer, d'analyser.
La nécessité de comprendre et de posséder à fond sur tous les plans l'être aimé est impérieuse, mais elle peut se transformer en dures ruptures des liens amoureux au moment où leur charge érotique et passionnelle s'épuise.
Les natifs du signe se distinguent en effet par une forte luci-

dité mentale qui les empêche de s'engager à fond sur les plans affectif et sentimental et qui provient de l'énergie de Mercure, planète en exaltation dans le Scorpion.
Il s'agit d'un signe d'eau, mais ici, cet élément ne se présente pas du tout de la même manière que chez le Cancer et les Poissons. L'eau du Cancer est féconde, nourrissante, pleine de ferments vitaux; celle des Poissons est vaste, immense, infinie comme l'océan; celle du Scorpion est profonde, sombre, abyssale, trouble, fangeuse et sournoise.
En amour, les natifs de ce signe déploient pour la réalisation de leurs buts toute l'agressivité et la passion dont ils sont capables, secrètement et silencieusement, sans que personne ne s'en aperçoive. Le lien qui les unit au monde de l'occulte, du magique et du mystère est puissant: il suffit de rappeler que, selon la mythologie grecque, la divinité de Mercure en Scorpion avait le devoir de guider les âmes des trépassés vers le royaume des morts et de les aider dans leur retour, et que ce dieu servait par conséquent d'intermédiaire entre le monde visible du réel et le monde invisible de l'occulte.
Les natifs du Scorpion sont dotés d'une perception intuitive qui se transforme parfois en une sorte de clairvoyance: la capacité de radiographier et de disséquer les situations et les états d'esprit des autres devient la faculté de comprendre par l'intuition et de prévoir les actions et les intentions, les pensées de l'être aimé.
Parfois sadiques ou masochistes, ils ont toujours des passions tumultueuses, riches en émotions, morbides et quelquefois exaspérantes.
La capacité de souffrir pour quelqu'un ou de faire souffrir donne naissance à des tensions souvent déchirantes et insupportables, mais qui ont l'avantage de leur donner l'impression qu'ils sont vivants et qu'ils affrontent toujours les situations avec un grand courage.

Extrêmement sensibles et capables de capter la moindre pensée des autres, ils réussissent parfaitement à dissimuler tout ce qui s'agite dans leur âme et dans leur cœur, qu'il s'agisse du chagrin d'amour le plus déchirant ou de la victoire la plus désirée et la plus convoitée.
Dans le tourment des multiples transformations du Moi qu'ils doivent toujours affronter au cours de leur vie, les natifs du Scorpion savent qu'ils cachent en eux quelque chose de très précieux, d'intangible et d'incroyablement puissant qu'il ne faut pas perdre, et qui n'est autre que leur véritable Moi, l'âme obscure du Scorpion qui, comme par une magie alchimique, est en train de se transformer par la douleur et la souffrance en un aigle, maître des cieux.
Ils affrontent l'amour comme s'il s'agissait d'un champ de bataille. Le goût de l'aventure, la recherche du nouveau font d'eux des êtres détachés du passé, sans racines, et les incitent à se livrer à des spéculations intellectuelles et à sortir des sentiers battus, d'autant plus facilement que le danger est présent.
Rebelles, possessifs, jaloux, ils n'acceptent pas facilement les conseils. Les sentiments d'attirance et de répulsion, de sympathie ou de rejet proviennent des abysses qu'ils ont en eux et sont à la fois totalement irrévocables et logiquement inexplicables.
De passion dévorante, l'amour peut se muer en haine implacable. Ils ont besoin d'un partenaire doué d'un solide équilibre psychique et émotionnel, car il sera inévitablement mis à rude épreuve.
Ils doivent avoir autour d'eux quelqu'un qui leur donne confiance en la vie et les tourne vers son aspect le plus serein et qui en même temps ne les détourne pas de l'éternelle recherche de ce qui toujours leur échappe : une exigence inconsciente de vérité et d'un contact plus étroit avec la profondeur de l'âme et le mystère de la vie et de la mort.

Il devra en outre leur donner la possibilité de vivre l'amour et le sexe avec une intensité et une tension quasi spasmodiques qui pénètrent jusqu'aux plus lointaines obscurités de l'être, et de nature à l'entraîner totalement.
Ils possèdent une sensibilité explosive et profonde et lui accordent une grande importance. Ils sont malgré tout absolument capables de traverser des périodes de véritable insatiabilité sexuelle et d'autres périodes d'ascétisme détaché. Ils aiment créer des atmosphères fortement teintées d'érotisme et sont attirés par toutes les pratiques de l'amour : ils accordent de la valeur aux fétiches, aux symboles, aux objets les plus étranges, à la lingerie excitante, aux bottes de cuir, aux cordes, aux drogues, aux draps de satin, aux herbes exotiques, à la musique, bref, à tout ce qui peut stimuler leur imagination fertile, qui fait qu'ils se voient dans des scènes dramatiques et toujours à tendance sado-masochiste.
Dans la vie, ils font souvent alterner les deux rôles : tantôt ils aiment dominer et faire souffrir, tantôt ils semblent aimer subir de mauvais traitements.
Tortueux est le chemin du "plaisir total".

L'homme du Scorpion

Polémique, incapable de s'abaisser à des compromis, férocement individualiste, il ne connaît pas les demi-mesures et son monde à lui est un univers de sensations aiguës et puissantes : désir, sympathie, mépris, amour, dont sont bannis les nuances, les demi-tons, les hésitations et les perplexités.
Il vit chaque rencontre amoureuse avec une extraordinaire force passionnelle, mais malgré le grand engagement de sa nature émotive, il ne perd jamais le sens des réalités, parvenant toujours à effectuer une évaluation critique de l'être aimé, car il se fait rarement des illusions.

Il recherche dans l'aventure érotique et dans le sexe une extase capable de le libérer des étroites limites du Moi dans lesquelles il se sent quelquefois enfermé. A travers l'amour, il voudrait vivre des expériences mentales et psychiques qui l'emmènent au-delà des sensations qu'il connaît déjà et atteindre un état de son être qui donne un sens plus profond à la vie.
Les joies des sens prennent ainsi une teinte quasi mystique, et lorsqu'il se trouve au comble du plaisir, il a la sensation de pénétrer dans l'éternité, franchissant ainsi les limites de la réalité ordinaire.
Sa vie n'est pas facile : les conflits et les contradictions intérieures qui le déchirent sont ceux qui opposent le "ciel et la terre", l'attachement au détachement, l'esprit à la matière.
Il vit l'angoisse de se sentir attiré, par la spiritualité, vers un monde différent qui n'est pas celui-ci, alors qu'en même temps, les liens de la chair et des sens le retiennent plus que jamais, car ils sont intensifiés par la force du désir.
Ecartelé entre deux directions, entre la négation et l'affirmation, la destructivité et le désir de créer, entre un réalisme brutal et un idéal mystique, l'homme du Scorpion parvient souvent à transformer son instinct sexuel en capacité de création, de production, de régénération.
La grande maîtrise de soi dont il est capable l'aide à surmonter la façon dramatique dont il vit ses amours. Doué d'une volonté de fer, cachée, mais d'une grande fermeté, il est toujours vainqueur, et peu lui importe le jour sous lequel il apparaît aux yeux du monde.

La femme du Scorpion

Le symbole qui est lié à la femme du Scorpion est celui du phénix arabe, qui renaît de ses propres cendres. Au cours

de sa vie, en effet, elle subit différentes transformations, tant matérielles que psychiques qui, souvent, la métamorphosent complètement à tous égards.
Elle possède une puissante énergie souterraine qu'elle utilise pour se recycler, pour sortir de la douleur et de la défaite lorsqu'il lui arrive de perdre une des nombreuses batailles amoureuses dans lesquelles elle se jette de toutes ses forces. Aimant intensément, elle passe de la joie extrême à la souffrance atroce, de moments de créativité profonde à des périodes de découragement complet, de destructivité et d'autodestruction.
Naturellement, comme son homologue masculin, elle présente toujours aux autres une façade d'impassibilité, de tranquillité, voire de douceur, qui ne laisse pas transparaître le moins du monde le tumulte intérieur qui la bouleverse.
Lorsqu'elle tombe amoureuse, elle fait appel à toute sa volonté pour devenir la femme rêvée de son partenaire.
Très efficace lorsqu'il s'agit de lui simplifier la vie, elle se charge des tâches et des devoirs et se rend irremplaçable.
Excellente organisatrice, elle se montre patiente, diplomate, et de plus, elle est ambitieuse. Elle parvient souvent à manipuler imperceptiblement les autres et à les faire dépendre d'elle. Extrêmement jalouse, elle veut posséder complètement l'homme qu'elle aime et sa charge émotive est telle qu'elle risque parfois d'user et d'émousser un rapport amoureux.
Obstinément attachée à ses convictions intérieures et à ses intuitions quasi diaboliques, elle cède difficilement aux argumentations les plus logiques et les plus rationnelles.
En amour, elle veut gagner à tout prix et elle s'y emploie de toutes ses forces. Lorsque les choses ne vont pas dans le sens qu'elle désire, après avoir surmonté ses moments de tourment et de désespoir profond qui l'assaillent toujours, elle renaît comme régénérée, mûre, elle est prête à affronter des expériences nouvelles et plus significatives.

Elle désire instinctivement soumettre l'homme et le réduire à l'état d'esclave, et dans ce jeu ambivalent, elle est disposée à satisfaire tous ses désirs, à se soumettre à lui pour mieux le dominer ensuite. Il est souvent inévitable qu'elle se heurte à l'homme car elle désire un être qui soit son égal dans tous les domaines, y compris le plan sexuel, où elle s'efforcera de découvrir son point faible et de l'épuiser.
Un instinct secret de destruction l'oblige parfois à mettre à l'épreuve la personne qu'elle aime et son entourage, risquant ainsi de les perdre et de se rendre très malheureuse. Le masochisme qu'elle a en elle la pousse à penser que l'amour doit comporter une composante de souffrances et de peine, et elle crée inconsciemment des situations inhabituelles et malheureuses.
Elle doit apprendre à s'aimer, à comprendre et à trouver sa nature complexe et profonde, en la débarrassant des nodosités et des conflits intérieurs qui l'empêchent souvent de projeter autour d'elle une auréole de bonheur et de sérénité.

Comment il conquiert

L'homme le plus fascinant du Zodiaque n'a pas besoin de beaucoup de moyens de conquête et il réussit en général à faire comprendre en peu de mots ce qu'il désire et ce qu'il sous-entend.
Rebelle, imprévisible, énigmatique, capable s'il le veut de détruire et de défier les convictions, il lui suffit pour conquérir d'être lui-même et de vivre intensément, comme à son habitude. Capable de susciter des passions violentes, il ne veut absolument pas être trompé et n'oublie pas facilement les affronts ni les faveurs qui lui sont faites.
L'homme du Scorpion, tout comme le scorpion du signe, peut demeurer à l'écart pendant longtemps, non pas parce

qu'il est timide, mais parce qu'il ne montre jamais volontiers sa véritable force. Il parle difficilement de ses projets, et il a même tendance à les cacher. Il ne se laisse pas toujours aller à des déclarations d'amour parce qu'il communique ses sentiments romantiques et son émotivité par sa fidélité et l'intensité de sa vie sexuelle.
Doué d'une imagination fertile, essentiellement nomade, téméraire, il vous conquerra par sa grande mobilité, son goût de l'aventure et sa recherche de la nouveauté, par l'absence de préjugés qui le caractérise, et surtout par sa capacité légendaire et mythique d'être un merveilleux amant.
Il a un regard terriblement magnétique et il est presque capable d'hypnotiser sa proie qui demeure fascinée et sans défense.
Il vous surprendra en vous parlant d'un aspect très caché de votre personnalité qu'il a capté.
Il ne courtise pas, il défie et provoque : dans une situation de grand danger, il vous place toujours face à une confrontation de personnalités.
Un conseil : si vous êtes du type lapin, il vaut mieux fuir.

Comment le conquérir

Il n'y a rien de plus stimulant que la conquête d'un homme du Scorpion, mais l'entreprise n'est pas des plus faciles, de même qu'il n'est pas facile de trouver un Scorpion libéré de ses engagements sentimentaux précédents, bien que cela ne constitue pas un problème pour lui.
Critique, détaché, impassible, il cache en réalité, au plus profond de son être, une nature émotive, extrêmement sensible aux appels de l'éros. Il doit donc émaner de vous une forte auréole qui le rappelle dans votre aura. Vous devez vous montrer douce, docile, légèrement vulnérable, car il

possède un caractère fortement dominateur et voudra vous guider en toutes circonstances.
Cependant, ne vous laissez jamais soumettre complètement et essayez d'entretenir un climat de passion qui conservera l'intensité de votre rapport amoureux. Soyez toujours mystérieuse et cachez un aspect de votre caractère afin de le défier et de lui donner envie de vous connaître, car si vous n'avez pas de mystères à découvrir et de secrets cachés, comme un cadavre de famille dans le placard ou des petites choses de ce genre, n'espérez pas pouvoir le lier à vous pour longtemps. Il est très dévorant et vous devrez vous occuper entièrement de lui. Exclusif, il veut un amour absolu et vous absorbera complètement. Ce n'est pas un être frivole : il n'est pas recommandé de le retenir par des bavardages vides et futiles, ni de l'assommer de questions insistantes sur son compte car il vous dira toujours et seulement ce qu'il veut et il n'est pas certain que cela corresponde à la vérité.
N'essayez pas d'être autre chose que vous-même, il déteste les minauderies et toutes les attitudes affectées en général. De toute façon, il vous démasquerait vite, car il saisit en un éclair votre véritable essence et lit immédiatement en vous à livre ouvert.
Nous conseillons de toute façon à celles qui envisagent de passer leur vie avec un Scorpion de suivre un cours accéléré de méditation transcendentale ou de Zen qui les entraînera au détachement et à l'ataraxie, toujours nécessaires pour rendre supportable la vie avec lui.

Comment elle conquiert

Originale et énigmatique, elle n'aime pas se dévoiler, elle suscite chez les autres intérêt et curiosité et entretient le mystère qui flotte autour d'elle. Intelligente, curieuse, in-

quiète, critique, elle possède une force secrète et un charme mystérieux qu'elle déploie habilement et imperceptiblement pour séduire la personne qu'elle désire.
L'élément essentiel de sa vie est le sexe, et elle a tendance à provoquer des éclairs de désir pour recevoir confirmation de son charme. Elle est entourée du voile de mystère qui caractérise le Scorpion, signe lié à la mort, assailli de doutes profonds, infondés et secrets.
Tortueuse, tourmentée, ayant une attitude dramatique, elle ne se déchaîne que s'il y a des risques à courir et des difficultés à surmonter.
Elle aime les luttes secrètes et se trouve parfois à l'origine de situations embrouillées qui demandent surtout un gros investissement mental. Lorsqu'elle séduit, elle doit employer des moyens insolites pour arriver là où elle veut, car elle n'aime pas ce qui est banal ou prévisible.
Comme elle a tendance à faire des expériences érotiques, elle a besoin d'un homme particulièrement résistant, tant sur le plan psychique que physique.
Capricieuse, elle aime les conquêtes difficiles, mais elle souhaite surtout des amours de grande tension. Elle consume la relation amoureuse jusqu'au bout, jusqu'au moment où son partenaire n'a plus de sens pour elle et ne l'intéresse plus. Conseil indispensable : soyez modéré.

Comment la conquérir

Lorsqu'on a affaire à une femme du Scorpion, il est relativement inutile de perdre son temps à déployer des techniques de séduction, car en raison de la perception lucide qui la caractérise, elle aurait vite fait de réduire à néant toute tentative de manipulation de votre part.
En effet, elle n'a pas besoin d'explications complètes — il lui

suffit d'un coup d'œil — pour saisir les situations et les caractères.
Parfois théâtrale et coléreuse, polémique et obstinée, il lui arrive souvent de mal supporter l'autorité et les contraintes. Vous devrez donc l'aider à être davantage elle-même de façon harmonieuse.
Elle a besoin d'un homme qui l'encourage à mieux se comprendre et qui chasse de son âme les passions et les conflits les plus lointains, en l'aidant à mûrir et à évoluer dans la sérénité. Soyez fort et sûr de vous, calme, patient, mais surtout tolérant. Il faut l'aider à sortir du cercle vicieux de l'incertitude martienne qui la plonge dans de sombres crises d'abattement, de perte de confiance et d'isolement, et qu'elle réussit naturellement à dissimuler parfaitement bien. Apprenez aussi à lire dans ses pensées, à deviner quelles sont ses exigences matérielles et émotives du moment, mais surtout à la précéder pour les satisfaire. Pour conquérir une native du Scorpion, nous vous conseillons un cours accéléré de clairvoyance qui vous permette de découvrir sa nature secrète afin de réussir à ne jamais la contrarier et à toujours la seconder (mais pas trop), et qui vous servira surtout à éclairer ses eaux obscures, stagnantes et profondes de Scorpion.

Comment le quitter

L'entreprise peut être difficile s'il n'a pas l'intention de vous quitter, car le Scorpion est un signe fixe, extrêmement tenace et sûr de gagner. En outre, certains natifs de ce signe ont la fâcheuse habitude de se montrer rancuniers et vindicatifs. Comme le sexe est très important pour l'homme du Scorpion, essayez l'ennui, le manque d'intérêt et la froideur face à ses tentatives de séduction. Lorsqu'il verra sa séduction

remise en question, il se demandera avec horreur si vous êtes devenue frigide ou bien s'il a cessé d'être un amant irrésistible.
N'admirez plus son audace et son mépris du danger, dites-lui qu'en définitive, il est une personne comme les autres et que son anticonformisme sonne faux.
Il cessera rapidement de s'intéresser à vous et cherchera une partenaire plus digne de lui.

Comment la quitter

Ne portez plus aucun intérêt au sexe et dites que vous avez dépassé ce stade. Ne prenez pas connaissance des messages occultes qu'elle vous envoie et traitez-la surtout en amie.
Dites-lui que vous aimez les réunions de famille et qu'elle devrait aussi faire sienne cette habitude traditionnelle.
Soyez collant, parlez beaucoup, surtout de choses vaines et frivoles ou en tout cas sans importance et en particulier à tort et à travers quand elle décide de s'enfoncer dans le silence du Scorpion. Vos agissements l'irriteront considérablement et, n'en supportant pas davantage, elle n'aura qu'un seul désir : se débarrasser de vous.

Comment ils rompent

Brusquement et avec une énergie insoupçonnée, l'inquiétude, l'agitation et la colère qui circulent toujours de façon souterraine sous la peau du Scorpion exploseront comme un volcan, brisant net tous les liens, tous les souvenirs du passé, toutes les choses que vous avez partagées, arrachant tout sur leur passage.
Ce type astrologique, apparemment impassible, parvient si

bien à dissimuler ses états d'âme que vous ne pourrez pas toujours vous rendre compte de ce qui se passe exactement chez lui.

Dans ce genre de situation, il change rarement d'avis parce que le processus explosif de lente maturation de ses décisions est normalement irréversible.

Sagittaire

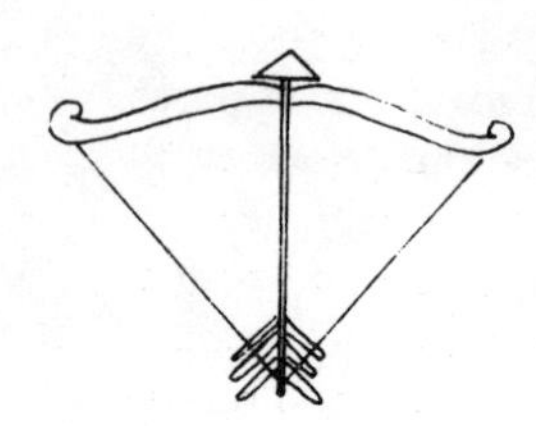

Du 240e au 270e degré du Zodiaque
Signe de feu, mutable
Domicile de Jupiter et de Neptune
Exaltation de X-Proserpine
Exil de Mercure
Chute de Pluton

Lorsque, en décembre, le Soleil traverse le signe du Sagittaire, la nature, apparemment morte au cours de la période tourmentée du Scorpion, se prépare à traverser une phase de relative tranquillité et de repos.
Tout rentre dans un certain ordre et la nature se prépare à affronter l'arrivée des premiers grands froids et des rigueurs de l'hiver. La petite graine plantée en novembre commence à s'adapter à son milieu et à germer.
L'attention est donc tournée vers le mouvement vertigineux des cellules qui se dédoublent et à partir desquelles se développera la future plante. Il s'agit par conséquent d'un signe qui annonce d'importantes transformations et métamorphoses mais qui se déroulent dans un milieu stable, serein, non précaire et incertain comme pour le Scorpion, dans un abri confortable et protecteur, avec une prise de possession bien précise du nouvel environnement.
Les natifs du Sagittaire, absorbant l'énergie du moment de

l'année où ils naissent, possèdent une nature extrêmement curieuse, investigatrice et aiment le mouvement. Tout cela se manifeste aussi bien sur le plan physique que sur le plan mental. Aimant le mouvement, ils ont une prédilection pour l'éducation physique et le sport, qu'ils ne vivent pas avec le sens de la compétition du Bélier, mais avec l'élan et l'amour du mouvement en tant qu'expression de l'harmonie physique du corps. C'est ainsi également qu'ils apprécient les grands voyages, la découverte de lieux lointains et qu'ils désirent aborder des rivages inconnus.

C'est le signe de nombreux explorateurs et anthropologues qui ont mené à bien, poussés par leur soif de connaissance, des entreprises courageuses, toujours soutenus par l'enthousiasme et par un optimisme serein, prérogative fondamentale de ce signe protégé par Jupiter.

Jupiter, comme on sait, est la planète de la fortune, mais s'il prend chez le Taureau un aspect plus spécifiquement matériel et une nuance de jouissance, car le Taureau est un signe de terre, chez le Sagittaire, il unit sa nature aux qualités du feu, en se dématérialisant partiellement et en se spiritualisant.

Il devient ainsi le "maître", le Gourou, celui qui indique la voie à travers la "parole", autre symbole très important lié au Sagittaire qui, dans la mythologie que l'on attribue à ce signe, prend souvent le sens du "verbe divin", du "son sacré". Alors qu'en Taureau, Jupiter symbolise la bouche en tant qu'organe de la nutrition, il revêt chez le Sagittaire sa deuxième fonction, plus subtile, celle de la parole, parée de toute la magie, de l'énergie et de la puissance qu'elle peut avoir selon la personne qui la prononce.

Rappelons à ce propos le *Fiat* divin de la Bible ou les paroles que prononçait Jésus et par lesquelles il réalisait des miracles.

Au milieu de tout cela, les natifs du Sagittaire s'efforcent

d'unir le proche au lointain, le matériel au spirituel, le terrestre à l'aspiration divine, en bonne foi, avec optimisme, avec une innocence sereine, sans se laisser prendre par une critique trop subtile et sévère de tous les aspects d'un problème: ils sont toujours convaincus que les questions les plus difficiles peuvent être résolues par la bonne volonté et par le bon sens.
Le symbole qui les représente est un centaure, mi-cheval et mi-homme. Il s'agit d'une image qui évoque la transformation des valeurs, le passage de la puissance instinctive de l'animal à des buts plus élevés symbolisés par l'archer qui oriente sa flèche vers le ciel, et donc, vers les idéaux.
Par conséquent, lorsque l'énergie mobile du Sagittaire se manifeste sur le plan mental, l'on obtient de grands philosophes, des mathématiciens, des savants, des mystiques, des personnes qui ont toujours canalisé les résultats de leurs explorations mentales et spirituelles vers des buts nobles et idéaux, les communiquant ensuite à leurs semblables par la chaleureuse et prophétique parole jupitérienne.

Le Sagittaire et l'amour

On aura certainement déjà compris que le centaure, mi-homme, mi-cheval, a toutes les chances d'être un signe double, et il l'est en effet. Les natifs du Sagittaire sont des idéalistes, des philosophes, des sages, mais ils sont encore animés par les passions, les sentiments, l'amour.
Sur le plan émotif, ils sont mus par la passion et l'enthousiasme de leur nature de feu, mutable.
Alors que le feu du Bélier représente une énergie originelle dans toute sa puissance animale, créatrice et destructrice, et que celui du Lion est une flamme domestiquée et orientée vers les avantages et la magnificence du Moi, le feu du Sa-

gittaire exprime la renonciation à des buts individuels au profit d'expériences qui peuvent transcender l'individu.
En effet, les quatre derniers signes du Zodiaque confèrent à leurs natifs la tendance à privilégier les buts collectifs au détriment des buts individuels, la société primant sur la personne.
En amour, les natifs du Sagittaire ont besoin de se sentir en accord et en syntonie avec la personne aimée et de partager ses projets, se sentant avec elle comme un élément de l'harmonie universelle à laquelle ils appartiennent et à laquelle ils veulent prendre une part active. Prêts à assimiler et à capter avidement tous les sentiments et les mouvements de l'esprit de l'être aimé, ils veulent tout éprouver dans l'ivresse d'une communion quasi sensuelle avec la nature, dont ils saisissent bien les rythmes et le merveilleux enchantement.
Eprouvant toujours le besoin d'essayer de nouvelles idées, ils sont souvent en proie à des enthousiasmes et à d'étranges frénésies. Leurs journées doivent toujours être pleines d'aventures et ils attendent de leur partenaire qu'il soit un ami ou un compagnon de voyage.
Malgré leur nature fidèle, honnête et loyale, ils sont très souvent attirés par l'aventure amoureuse qui leur permet de satisfaire toutes leurs curiosités, leurs désirs, et de répondre au besoin inné qu'ils éprouvent d'être le plus libre possible, et de décocher toutes les flèches de leur carquois. Cependant, il s'agit presque toujours de circonstances temporaires et d'histoires passagères qui peuvent parfois leur procurer des sentiments de culpabilité.
La planète X ou Proserpine, que le Sagittaire partage avec le Taureau (Jupiter est également commun à ces deux signes), mais qui est en exaltation en Sagittaire, le rend, à certains égards, et comme le Taureau, capable d'absorber totalement les sensations et de s'enivrer de nature. Les natifs

du Sagittaire se sentent en étroite syntonie avec elle et les liens qui les unissent à elle sont les plantes, les arbres, les bois, ainsi que les animaux qu'ils aiment beaucoup et qu'ils sont prêts à soigner, en particulier le chien et le cheval.
Contrairement aux natifs du Taureau qui cèdent totalement aux élans du cœur, les natifs du Sagittaire, en tant que signe mutable, sont plus fluctuants: ils évoluent entre le sérieux et le jeu comme des hirondelles pour ce qui est de leurs propres sentiments amoureux, les intensifiant, les transformant souvent, toujours avec une grande vivacité.
Ils se laissent porter innocemment, sereinement, simplement par le flot des impressions, et les sentiments de leur cœur sont sincères, innocents et vifs: solidarité, faculté de comprendre, de participer, de s'identifier à l'autre, de sympathiser avec leur entourage. De caractère indulgent, tolérant, bienveillant, ouvert, ils désirent épanouir librement leur personnalité, être appréciés, se sentir en syntonie avec toutes les personnes qui les entourent, personnes à travers lesquelles ils peuvent d'une façon ou d'une autre prolonger leur propre identité.
Totalement étrangers au narcissisme et à l'exhibitionnisme permanents qui caractérisent les Gémeaux, leur signe opposé du Zodiaque, ils détestent la simulation, le mensonge et toutes les attitudes hypocrites, les manœuvres occultes, la dissimulation. Ils n'aiment pas jouer un rôle et vont droit au but, franchement, ouvertement, loyalement, quelquefois avec une certaine maladresse.
En amour, la notion du "lointain" chère à ce signe se concrétise souvent par la tendance à idéaliser la personne aimée et à la placer sur un piédestal au point de la rendre parfois inaccessible. Le problème auquel sont confrontés les natifs du Sagittaire est de réussir à concilier le réel et l'idéal. Il arrive qu'ils soient attirés par des relations avec des personnes appartenant à un monde différent du leur, à

des classes sociales différentes des leurs, qui les placent devant des problèmes d'adaptation que leur mutabilité leur permet de résoudre aisément.
Leur sensibilité affective et amoureuse est simple et élémentaire, liée à ce qui peut être défini concrètement; elle dépend de ce qu'ils sentent et de ce qu'ils connaissent. Ils ont besoin d'un partenaire qui partage leur soif d'aventure et de mouvement, qui puisse les accompagner et qu'ils puissent considérer comme leur semblable. Ils ont besoin de disposer d'un certain espace autour d'eux. Il leur faut donc quelqu'un qui leur laisse une grande liberté, qui ne soit pas collant. Ils apprécient par-dessus tout l'indépendance et ils ont tendance à accorder autant d'importance à l'amitié qu'à l'amour. Curieux, explorateurs, sincères, ils fondent leurs liens affectifs sur la franchise et la loyauté.
Sur le plan sexuel, tout comme le centaure qui les symbolise, ils ont une énergie considérable et magnétique, ils aiment la chasse amoureuse à laquelle ils se livrent abondamment tant qu'ils ne trouvent pas une personne vraiment "supérieure" à leurs yeux qui leur fasse de nouveau remettre en question la liberté qui leur est si chère.
Ils adorent le sexe et ils aiment beaucoup toutes les attentions, les compliments que l'on peut leur adresser, car l'aspect physique de l'amour leur plaît, les stimule et fait qu'ils se sentent vivants et actifs. Ils ont besoin de très grands espaces et d'épanouir leur esprit dans l'immensité, comme les plages désertes, les grands champs ensoleillés, les pièces vastes et bien aérées, donnant sur de grands panoramas, les lits immenses.

L'homme du Sagittaire

L'ambivalence du signe se manifeste bien dans le caractère

de l'homme du Sagittaire, dans lequel coexistent les deux tendances: la nature juvénile, débonnaire, conformiste, conventionnelle, et la nature neptunienne, qui le pousse à toujours partir en quête de nouvelles aventures ou sensations. En amour, comme au début de toutes ses activités, il est expansif et euphorique, il s'adapte facilement au milieu et à la personne aimée en la secondant si nécessaire. Au fur et à mesure qu'il s'étend à l'extérieur, il veut fixer son acquis dans l'ordre et dans le respect des lois et des normes sociales dans lesquelles nous vivons. Lorsqu'il se décide enfin à s'arrêter, il désire se marier, fonder une famille, et il est un bon père, un bon mari. Il tient en outre à l'honorabilité et au prestige social.

Un peu superficiel, moraliste, mégalomane, il fait un agréable compagnon avec lequel on peut partager bon nombre de distractions et de passe-temps. Il aime la vie en plein air, les activités sportives, la campagne, les animaux.

Il aime voyager à cheval, à pied, en avion, en train, en voiture, et il a tendance à gaspiller l'argent avec une certaine désinvolture. Sa compagne devra s'habituer à ses inévitables déplacements, ainsi qu'à ses fréquents mots d'esprit et boutades, qu'il décoche volontiers, absolument sincères, certes, mais pas toujours de circonstance et parfois peu appréciés par ceux qu'ils visent.

Malgré son esprit philosophique, le natif du Sagittaire est très dynamique; il aime s'amuser et voyager plutôt que de méditer en silence assis à une table. Libre, optimiste, hardi, sincère, il prend la vie comme elle vient. Il adopte une attitude éternellement décontractée, jeune et gaie et refuse de prendre trop au sérieux quoi que ce soit.

La forte attraction qu'exercent sur lui l'infini et l'inconnu se traduit par une tendance au mysticisme et aux aspirations spirituelles, et il ne sera pas satisfait tant qu'il n'aura pas lu des ouvrages consacrés au bouddhisme tibétain (à moins

qu'il ne l'essaie directement), ou approfondi le zoroastrisme. Sa nature est ainsi faite que son besoin de liens durables et traditionnels n'entre pas en conflit avec sa disponibilité instinctive pour entreprendre des aventures sentimentales.
Contrairement à l'homme des Gémeaux qui s'efforce toujours d'évaluer, de soupeser, d'exhiber, de se cacher, l'homme du Sagittaire, par nature, a tendance à concilier, en amour aussi, grâce au magnétisme de la chaleur humaine que lui inspire Jupiter, n'importe quelle dualité, à fondre en une unité globale les éléments séparés. Il est en outre animé d'un fort et serein désir d'accorder à toute chose la valeur qu'elle mérite.
Le mobile fondamental de ses actes est la recherche de l'évasion, car il désire franchir les limites de la condition humaine pour participer à un tout plus vaste englobant la famille, la nation, les origines. En amour, il essaie de prolonger son moi à l'intérieur de la personnalité de l'autre. Il a toujours besoin de délimiter les choses et les êtres pour ensuite les élargir et les changer continuellement.

La femme du Sagittaire

La femme du Sagittaire dissimule sous une apparente simplicité une curiosité qui la pousse sans cesse à aller au devant des changements et des nouveautés. Pleine de joie de vivre, exubérante, elle désire s'évader, elle a le goût de l'aventure, elle est gaie, communicative, ouverte aux contacts humains. Philosophe, idéaliste, conquérante, pleine de charme, elle se lance dans les aventures amoureuses avec l'esprit d'une amazone.
Elle aime le sport et toutes les activités qui lui permettent de se déplacer comme elle le désire : elle adore les chevaux, les galops dans la campagne, car il est très important

pour elle de bouger. Elle ne supporte pas l'immobilisme et l'ennui. Sociable, elle a besoin en permanence d'avoir des gens autour d'elle. Elle connaît beaucoup de personnes, mais peu d'entre elles sont de véritables amis.
En amour aussi, elle raconte tous ses projets et parle de ses envies avec une candeur naïve, en toute honnêteté, car elle est totalement sincère.
Incapable de mentir, elle ne sait pas tromper, ou si elle le fait, elle en informera loyalement son partenaire avant d'agir.
La femme du Sagittaire est une incorrigible optimiste et, même si elle doit affronter des périodes difficiles, elle a tendance à penser que la malchance n'est que temporaire et que les choses vont s'arranger rapidement. Chaque jour qui commence a pour elle le charme d'une aventure à découvrir et à vivre avec une joie spontanée.
Chanceuse, protégée par Jupiter, elle connaît en général un destin favorable.
Son approche de l'amour est franche et directe : elle attend de son partenaire une admiration et un intérêt clairs et sans subterfuges. Elle demande à l'amour de lui apporter une impression de paix et de libération qui fasse qu'elle se sente unie à l'univers tout entier.
Bien loin des jeux de pouvoir de la native du Scorpion, elle possède un sens de l'indépendance très développé qui l'empêche de trop se prêter au jeu de la soumission de soi ou des autres. L'amour peut constituer un rite pour elle. Elle n'est absolument pas inhibée et elle ne sait pas tergiverser. Elle fait donc clairement comprendre ce qu'elle désire. Elle préfère que son partenaire lui fasse part de ses désirs érotiques plutôt que d'essayer de les deviner.
Avide sur le plan sexuel, elle n'aime pas les cours trop prolongés et perd vite patience.
En amour, elle est toujours extrêmement présente, car elle

désire y épuiser sa charge vitale extrêmement puissante. Elle a besoin d'un homme très autonome qui soit disposé à lui accorder beaucoup de liberté et de confiance. Il devra en outre viser à des idéaux élevés, être intelligent et créatif, et, naturellement, un amant habile.

Comment il conquiert

Optimiste, extraverti, sûr de soi, il vous séduira par son envie de vivre et son tempérament plein de vitalité, généreux, exubérant, enthousiaste, qui inspire la sympathie. Il vous ouvrira la porte sur le monde qui lui est propre, fait d'hommes, de chiens, de chevaux, de cartes routières et de plans de vol, d'atlas et d'ouvrages de géographie, dans lequel il fera alterner les dissertations sur Socrate et Platon avec des mots d'esprit mordants sur votre compte, car il s'attaquera surtout à vos points les plus faibles.
En effet, lorsqu'il cherche à séduire, il doit réduire quelque peu ses remarques sincères, mais dépourvues de tact. Cependant, sa verve et sa rapidité d'esprit lui permettent de réparer le mal très rapidement ou de se faire pardonner. Comme il est sportif, il vous invitera à faire un tour à bicyclette à moins qu'au comble du romantisme, il ne vous emmène, par une chaude nuit d'été, dans un merveilleux jardin, compter les étoiles et écouter le chant mélodieux des grillons.
Il vous conquerra par sa sociabilité, sa bonne humeur, son désir d'explorer le monde et de découvrir de nouveaux modes de vie, parvenant à vous communiquer son enthousiasme, sa gaieté, sa jeunesse, son goût du jeu.
Il vous séduira par son amour de l'aventure et de la vie de nomade. Il n'aime pas l'ennui du devoir et son idéal serait de parcourir le monde, de sauver chats et chiens, de tirer

des flèches à gauche et à droite, de prêcher aux autres des idéaux philosophiques et religieux très élevés, colonisant ça et là un peuple primitif, mais surtout de s'amuser avec vous.

Comment le conquérir

Armez-vous d'un sac de couchage, d'un appareil photographique, de jumelles, d'une tente, d'une gourde, d'une lampe de poche, de cartes routières, des horaires des trains et des avions et... suivez-le. Et ne croyez pas pouvoir décider d'avance l'endroit où vous irez, ce que vous ferez, bref, ne préparez aucun plan de voyage, car c'est à lui exclusivement qu'il incombera de décider sur le moment, à chaque carrefour, si vous prendrez à droite ou à gauche : il ne s'amuserait plus si tout était programmé.
Ne vous montrez ni jalouse ni possessive et laissez-le papillonner autant qu'il le voudra. Il risque cependant d'aller trop loin, d'entrer dans un autre rêve et, comme il est particulièrement distrait, d'oublier de revenir.
Soyez toujours sincère, ouverte, loyale, dites-lui clairement ce que vous attendez de lui, car c'est un homme de bonne volonté, et s'il le peut, il essaiera de vous satisfaire. Décidez-vous à aimer le sport et à le pratiquer intensément, si vous ne le faites pas déjà; soyez désinvolte, indépendante, émancipée, autonome, et préparez-vous ainsi à être son meilleur ami. Ne le harcelez jamais, mais surtout croyez en lui, en ses intuitions géniales et en la sincérité de ses sentiments et de ses paroles.

Comment elle conquiert

Simple, franche, ingénue et spontanée, elle dit toujours clai-

rement ce qu'elle veut et ne provoque jamais d'équivoques en ce qui concerne ses sentiments. Lorsqu'elle rencontre une personne qui lui plaît, elle se met en chasse comme une véritable amazone et va tout faire pour l'attirer à elle. Fascinante, généreuse, elle a une façon extrêmement libre et naturelle de vivre l'amour.
Elle a une légère tendance à jouer les pédagogues. Par conséquent, toutes les occasions vous seront bonnes pour apprendre des choses nouvelles qu'elle se fera un plaisir de pouvoir vous transmettre et vous enseigner avec sa spontanéité naturelle.
Animée de bonne volonté, sûre d'elle, convaincue qu'elle est dans le vrai, elle organisera volontiers votre vie, avec le bon sens, la solidité, le réalisme qui la caractérisent.
Souhaitant partager avec vous une vie sereine, naturelle, au grand air, remplie de voyages, de jeux, de sport, elle vous charmera par son extraversion, ses longs discours qui combleront tout l'espace qui vous sépare en vous contaminant, en bâtissant entre vous deux un pont ininterrompu.
D'autres natives du Sagittaire plus évanescentes, plus silencieuses (car, comme tout signe double qui se respecte, le Sagittaire se manifeste aussi par des typologies différentes et doubles) vous séduiront non pas par la parole, mais par l'auréole de mystère et de charme dans laquelle vous vous sentirez enveloppé. Elles vous donneront l'impression qu'elles cachent en elles le mystère de l'inconnu et de l'infini audelà duquel on ne peut aller.

Comment la conquérir

Cette véritable nomade du Zodiaque aime les voyages dans les endroits les plus exotiques et les plus éloignés. Offrez-lui donc un voyage dans les îles les plus lointaines et les plus

perdues du continent africain, un endroit enchanteur où vous pourrez tous deux passer des moments idylliques.
Soyez le Tarzan de ses rêves, faites-lui la cour en la prenant dans vos bras protecteurs, en volant avec elle d'un arbre à l'autre de la jungle, attachés à une liane. Vous aurez naturellement fait votre apprentissage auparavant en suivant un cours accéléré d'acrobatie et d'équilibre.
Montrez que vous êtes un merveilleux organisateur, veillez à ce que tout ce que vous avez préparé pour elle réussisse le mieux possible. Bien que rêveuse, elle apprécie beaucoup le côté concret et réaliste d'un homme qui doit être désinvolte, actif, dynamique, entreprenant.
Ne vous fâchez pas si elle continue à être indépendante et si elle refuse d'être sous votre emprise: la liberté qu'elle exige est exactement celle qu'elle vous offre.
Soyez un peu philosophe, ne manquez pas de faire de sages et intelligentes dissertations culturelles sur Karl Popper, Aurobindo ou Levi Strauss.
Elle est toujours quelque peu idéaliste et elle désire que son partenaire soit un parfait mari à tous égards. Efforcez-vous donc de vous adapter avec bonne volonté au rôle qu'elle vous demande de jouer.
Il est également possible que vous trouviez des femmes du Sagittaire absolument romantiques et rêveuses, mais n'oubliez jamais que sous leurs abords rêveurs et fuyants, elles appartiennent toutes à un signe de feu et qu'elles brûlent sous la cendre.
C'est à vous qu'il appartient d'allumer ce feu et de faire en sorte qu'elles tombent amoureuses de vous.

Comment le quitter

Commencez par ne plus l'accompagner dans ses déplacements mirobolants, ne l'écoutez plus avec intérêt lorsqu'il vous racontera ses aventures, dites-lui que vous n'aimez pas la nature, encore moins les animaux, et obligez-le à passer des dimanches entiers dans l'oisiveté et l'immobilité. Moquez-vous de sa tendance à tout enseigner à tout le monde, et il vous fuira rapidement pour partir à la recherche d'une nouvelle partenaire.

Comment la quitter

On se rend tout de suite compte que l'entreprise ne sera pas facile parce qu'elle a tendance à vous considérer comme sa propriété exclusive, et elle aura beaucoup de mal à imaginer que vous puissiez vivre sans elle. Malgré tout, la première chose à faire est de freiner ses élans pédagogiques : dites-lui qu'elle n'a rien à vous apprendre et que vous n'avez pas la moindre intention d'améliorer votre mode de vie, que vous voulez rester aussi fruste que vous l'êtes actuellement.
Renoncez à votre réputation, montrez-vous en compagnie de femmes douteuses, voire stupides, et débrouillez-vous pour que cela se sache : vous tomberez de votre piédestal de compagnon idéal et elle se dépêchera de vous rayer de sa vie.

Comment ils rompent

Il s'agit pour eux d'un moment dramatique : la sécurité qu'ils croyaient avoir trouvée s'en va en fumée et ils risquent, par peur de perdre ce qu'ils avaient, de devenir dévorants au point d'en être destructeurs; plutôt que d'abandonner leur partenaire, ils préfèrent très souvent jouer double jeu, mais en le lui disant en toute franchise et sincérité, de façon à se décharger sur l'autre de tous les doutes, des

problèmes et des incertitudes de l'abandon, le laissant résoudre le problème lui-même.
Dans ce genre de circonstance, ils cèdent à l'influence de Neptune et ont un comportement qui dénote l'incohérence la plus totale. Tout ce que nous avons dit auparavant sur les Sagittaires est contredit par l'attitude dépressive qu'ils adoptent dans ces moments-là et leur difficulté à prendre une décision.

Capricorne

Du 270e au 300e degré du Zodiaque
Signe de terre, cardinal
Domicile de Saturne et d'Uranus
Exaltation de Mars
Exil de la Lune
Chute de Vénus

Lorsque le Soleil traverse chaque année le signe du Capricorne, il passe, le jour du solstice d'hiver, au point le plus bas de sa trajectoire céleste; c'est le début de l'hiver. Ce jour est un point culminant du cycle annuel auquel correspond, à l'opposé, le solstice d'été, situé entre les Gémeaux et le Cancer.

La nuit la plus longue succède au jour le plus court, mais, à partir de ce moment, les jours vont à leur tour s'allonger, pendant que les nuits se raccourcissent jusqu'à l'arrivée du printemps.

Pendant le mois du Capricorne tout, dans la nature, paraît froid, nu, et condamné au silence : les arbres, squelettiques, n'ont plus de feuilles, les plantes ne manifestent aucune activité vitale (nutrition ou reproduction). La graine, enterrée en novembre, doit affronter la période la plus dure de l'année, sous le manteau glacial de la neige ou, en tout cas, dans le froid. Elle risque ainsi de mourir. Pour survivre elle se dépouille de tout ce qui n'est pas utile ou indispensable, amorçant un processus d'introversion, d'auto-défense, qui sert à la protéger dans cette circonstance particulièrement difficile.

De la même manière, les natifs du Capricorne paraissent réservés et fermés, se concentrant davantage sur le maintien d'un statu quo que sur des objectifs originaux ou innovateurs. Ils ont tendance à s'attacher à des réalisations matérielles et concrètes qui sont favorisées par leur ténacité, leur persévérance et leur résistance, qualités qu'ils possèdent en abondance. N'aimant guère le risque, ils possèdent une nature essentiellement conservatrice et leurs dons les plus marqués sont la discipline, la persévérance, la réflexion, la maîtrise de soi.

Très souvent ambitieux, ils savent très bien profiter du bon moment pour entreprendre leurs activités et réussir et ils se sentent rarement perdus lorsque des difficultés apparaissent. Réalistes et lucides dans leurs jugements, ils sont tout à fait conscients des réalités, ce qui peut parfois freiner leur imagination.

Le Capricorne est un signe de terre, le troisième après le Taureau et la Vierge. Le Taureau représente le moment printanier de l'année où l'homme est totalement absorbé par la jouissance des biens qui lui sont offerts, la Vierge représente le moment de la classification des richesses et des ressources qui sont à sa disposition, elle les énumère, les catalogue et les conserve. Quant au Capricorne, il symbolise l'homme debout sur la terre qui domine le monde matériel et vient à bout des sens en les maîtrisant. En effet, ce n'est pas un hasard s'il correspond à l'épine dorsale et au squelette qui lui permettent justement de “se tenir debout tout seul”, et par conséquent, d'être indépendant.

La planète guide du Capricorne est Saturne, le dieu du temps, en l'honneur duquel on célébrait jadis les saturnales,

par lesquelles les Romains fêtaient la fin des journées courtes dans les derniers jours du mois de décembre, festivités remplacées par la suite par l'Avent chez les Chrétiens.
La mythologie antique associe à Saturne une légende qui veut qu'il ait mangé ses propres enfants; ces derniers correspondent aux autres planètes plus rapides, qui viennent après le Soleil et précèdent Saturne: la Lune = la petite enfance; Mercure = l'enfance; Vénus = l'âge des amours de jeunesse; Mars = l'impétueuse hardiesse virile, et ainsi de suite.
Cette légende correspond symboliquement à la réalité: le temps = Saturne, engloutit tous nos projets, nos plans et nos espoirs de jeunesse pour nous les rendre plus tard, lorsque nous sommes mûrs, à l'âge de Jupiter, enrichis par l'expérience, en nous donnant la possibilité de les envisager dans une optique différente, plus sage et plus sereine.

Le Capricorne et l'amour

Le Capricorne représente le dur labeur de l'hiver: sous la croûte dure et épaisse qui la recouvre, la graine se prépare, cachée dans le sol, à germer, et elle a donc une activité intérieure très intense et constructive, puisqu'elle amorce un processus de lente maturation et qu'elle ne donnera ses fruits que beaucoup plus tard.
En amour également, ce signe est le plus capable de réaliser des conquêtes difficiles, laborieuses, pénibles, grâce à sa ténacité.
Il est certain qu'il ne possède pas un caractère des plus doux et des plus affectueux car il est le domicile du grave et austère Saturne. En outre, la Lune et Vénus, protectrices des amours, s'y trouvent en exil. Cependant, on ne peut pas dire que les natifs du Capricorne n'aient pas de cœur. Sim-

plement, ils ont aussi d'autres préoccupations comme l'ambition et le désir de réussir.
Impassibles, ils ne laissent pas leur visage trahir leurs émotions car ils s'efforcent continuellement de maîtriser leur émotivité, ne cédant jamais à l'extériorisation de leurs sentiments.
Ils sont extrêmement sobres dans ce domaine et se refusent à toute attitude théâtrale susceptible d'attirer les autres, d'augmenter leur charme ou leur charge de magnétisme personnel. Ils n'aiment pas parler longuement d'eux-mêmes et encore moins attirer l'attention sur leur personne.
Que ce soit par manque d'imagination, de spontanéité, d'aisance ou bien de chaleur humaine, ils n'essaient jamais de paraître différents de ce qu'ils sont, ni de mettre en avant leurs qualités et leurs mérites.
Ils s'obligent à lutter contre leurs instincts et leur passions afin d'avoir une parfaite maîtrise d'eux-mêmes et d'ignorer ainsi n'importe quelle sorte de douleur et de souffrance, réprimant et rejetant l'affectivité qu'ils ont en eux. Ils se laissent rarement entraîner dans l'ivresse des joies amoureuses et ils paraissent presque toujours froids et détachés.
En réalité, ils ne sont pas exempts de tendres sentiments, mais ils ne veulent pas les montrer.
La glace de Saturne dissimule l'ardente nature de la planète Mars, en exaltation dans le Capricorne, et qu'il partage, dans le Zodiaque, avec le Bélier et le Scorpion. Sous l'influence de cet astre, ils se montrent secrètement passionnés, impétueux et avides, même s'ils ne laissent rien transparaître de la nature des désirs qui les animent, car Saturne a tendance à les inhiber et à leur rendre très difficile le don de soi à travers l'amour.
Mais, bien qu'ils ne soient pas toujours d'un abord facile, ils font preuve d'une prudente sensibilité et peuvent cacher sous un calme apparent d'invisibles tempêtes intérieures.

Ils sont comme déchirés entre le besoin de se donner et d'aimer totalement et profondément, de tout leur être, et une force invisible qui les empêche d'agir dans ce sens.
Chez eux, l'intense désir d'aimer et d'être aimés est contrebalancé par une peur extrême, tout aussi grande, de l'amour. Comme pour tous les signes du Zodiaque où Vénus et Mars, principes de l'amour et du désir, paraissent l'un à côté de l'autre dans le Zodiaque, le Capricorne, exaltation de Mars, semble poursuivre une Vénus cancérienne qu'il veut à tout prix mais qu'il refuse par peur. Dans la dialectique de ces quatre signes : Bélier et Balance, Capricorne et Cancer, les deux signes vénusiens, la Balance et le Cancer, en raison de la nature docile et affectueuse de Vénus, acceptent l'amour avec plus de joie et de tendresse.
En revanche, les deux signes masculins qui leur correspondent, le Capricorne et le Bélier, marqués par Mars, se trouvent plus inhibés et éprouvent davantage de difficultés lorsqu'il s'agit de se donner à l'autre, à cause de l'individualisme exaspéré de Mars, qui les pousse en même temps à désirer et à refuser l'amour.
C'est ainsi que les natifs du Capricorne peuvent se trouver, du fait des passions martiennes et du frein saturnien, aux prises avec des problèmes affectifs plutôt complexes, qui sont dus à leur nature ardente, mais inhibée. Il arrive qu'ils passent de l'inhibition à la frénésie totale, de l'indifférence à la jalousie, du renoncement au libertinage le plus effréné, de la pudeur à l'érotisme le plus débridé.
Ils ont besoin d'un partenaire qui ne se laisse pas trop décourager par leur indifférence apparente et qui sache lire, au-delà de leurs rares sourires et de leurs compliments parcimonieux, l'affection et les sentiments qu'ils dissimulent toujours et qu'ils ne sont guère disposés à manifester, car ils ont peur de voir leur cœur foulé aux pieds.
Comme ils sont relativement méfiants, les natifs du Capri-

corne, avant d'aimer, ont besoin de s'assurer que l'autre tient bien à eux et qu'il est vraiment sérieux dans ses intentions. Ils ont horreur de perdre leur temps en vétilles et en choses frivoles qu'ils jugent avec sévérité. Une relation reposant sur ces principes se situe en dehors de leur logique. Développant leurs sentiments très lentement, ils refusent leur emprise et il faut faire en sorte d'éveiller la passion qui sommeille en eux pour qu'elle se manifeste par la gentillesse, l'affection, la patience et la tendresse.
Possédant une grande charge sexuelle, ils ne se laissent aller qu'avec prudence. Mais s'ils parviennent à triompher de leur retenue naturelle grâce à mille manifestations d'intérêt et d'amour, ils sont extrêmement passionnés et peuvent exprimer leurs sentiments profonds en libérant les émotions qu'ils maîtrisent constamment.

L'homme du Capricorne

Le natif du Capricorne est donc apparemment un détaché qui parvient à "tenir" dans les positions les plus délicates et les plus difficiles, triomphant des obstacles grâce à sa grande réserve d'énergie maintenue sous pression.
Il possède un solide équilibre intérieur qu'il puise dans la fermeté de son caractère et la domination de ses passions. En amour également, il se montre souvent très obstiné et il peut être prêt à tout sacrifier pour réaliser ses projets.
Il prend ses décisions affectives avec une grande lenteur, et il est certainement à l'abri des coups de foudre parce qu'il doit évaluer, soupeser, réfléchir attentivement. Lorsqu'il tombe amoureux, c'est parce qu'il a décidé que son cœur pouvait se permettre un sentiment qui ne le mettait pas en danger. Il cède souvent à l'ivresse de la conquête et décide ainsi de poursuivre sa proie à tout prix.

Presque toujours occupé à escalader les cimes de son ambition personnelle, il désapprouve les frivolités et les sottises et il a la ferme conviction qu'en travaillant dur, il pourra réaliser ses désirs et atteindre ses objectifs.
Sur le plan affectif, il s'avère mûr en ce qui concerne l'émotivité et possède toutes les propriétés classiques de la terre : simplicité, fidélité, stabilité, et une certaine rigidité mentale. Il devrait s'efforcer d'accorder une plus grande place à l'imagination, et de moins s'attacher à ce qui se voit et à ce qui est démontrable.
En amour, une fois que l'on a gagné toute sa confiance (ce qui n'est pas une mince affaire), il fait un compagnon sûr et loyal, solide comme un roc, sur lequel on peut s'appuyer à n'importe quel moment.
Avec lui, plus le temps passe, plus les choses s'arrangent, car le Capricorne est un signe doué d'une remarquable longévité; en général, ses natifs donnent l'impression de la jeunesse à un âge mûr et ils connaissent souvent une seconde jeunesse lorsqu'ils ont appris à se libérer lentement de l'influence de leur planète guide, Saturne. Ils parviennent ainsi à être presque décontractés, à laisser libre cours à une imagination plus débridée et à tenir moins compte du jugement de leur entourage, qui revêt habituellement une grande importance à leurs yeux.
Quand ils sont amoureux, en raison de leurs racines terriennes, ils ont un comportement relativement prévisible, ils ne cèdent pas facilement aux rêves et ils affrontent toujours n'importe quel problème sous le bon angle et avec réalisme. Toujours maîtres d'eux-mêmes, critiques sévères, ils ne sont guère enclins à la poésie et au romantisme, et se méfient presque toujours de tout ce qui ne peut pas être expliqué par la logique et la raison. S'ils peuvent sembler inhibés sur le plan sentimental à cause de leur maîtrise de soi et de leur refus permanent de s'abandonner, ils présentent, sur un plan

érotique, une vitalité, une énergie, une habileté et une technique irréprochables, à tel point qu'ils s'avèrent être des amants étonnamment doués.

La femme du Capricorne

Le symbole du signe est une chèvre de montagne en train d'escalader les cimes, sûre, rapide, solitaire. Comme ce petit animal sagace, la femme du Capricorne sait tirer profit des moindres et des plus insignificantes occasions pour arriver au succès qui lui revient.
Loyale, responsable, absolument sûre, elle possède un tempérament tranquille et sobre, a des manières correctes et sait faire face à n'importe quelle difficulté pourvu qu'elle arrive au sommet qu'elle désire atteindre. Le sexe et l'amour sont très importants pour la native du Capricorne mais, comme pour son homologue masculin, ils ne sont pas la seule chose qui compte dans la vie et ne peuvent satisfaire son ambition. Elle veut être quelqu'un, mais en raison de son indépendance, elle ne fera appel qu'à ses propres moyens.
Elle est portée à la passion, mais ne la manifeste qu'avec une grande prudence.
Possessive et jalouse, elle est en même temps autonome et veut être protégée par l'homme qu'elle a décidé d'aimer. En amour, elle craint énormément d'être déçue ou blessée et elle refuse souvent, inconsciemment, de se donner par crainte de devenir trop vulnérable. Car au-delà de sa grande maîtrise de soi, elle a besoin d'avoir à ses côtés un compagnon avec qui elle puisse partager ses expériences de vie et ses succès, qui l'aime et qui l'aide à s'accepter.
Elle aime entretenir avec les autres des relations sûres et permanentes, elle apprécie la tradition et les objets anciens et s'avère très attachée aux valeurs familiales.

Son point faible: des relations difficiles avec sa mère et avec les femmes en général.
Comme la femme du Cancer, son signe opposé, elle traîne derrière elle un complexe maternel dont elle a du mal à se libérer. Alors, souvent, comme elle n'a pas assimilé la personnalité de la mère (la Lune se situant dans le signe opposé), elle se sent relativement mal à l'aise dans son rôle de femme. Elle a donc tendance à porter un jugement sévère sur elle-même, bien que, comme toutes les autres femmes, elle ressente le désir de s'abandonner à l'amour.
Elle sent instinctivement que le temps travaille pour elle, comme un bon ami; elle sait qu'elle ne pourra tirer que des avantages du passage des années.
Très sélective, elle continue à rechercher dans les relations amoureuses une intimité authentique qui peut cependant parfois lui apparaître comme menaçante.
Elle déteste les risques et s'efforce toujours d'organiser sa vie de manière à éviter les imprévus. Elle fait face à l'avenir avec la personne aimée en évaluant avec réalisme tous les problèmes pratiques que comporte la situation, comme s'il s'agissait d'une entreprise familiale ou d'un dossier d'affaires. Elle voudrait s'occuper de tout et de tous ou, du moins, tenter de le faire.
Comme elle est méfiante, il faut faire très attention à ne pas la blesser par des critiques inutiles et des paroles prononcées à la légère. Malgré son impassibilité saturnienne, elle a du mal à oublier les torts qu'on lui fait et les douleurs qu'on lui cause.

Comment il conquiert

Son amour est dominé par les influences saturniennes, mais au fur et à mesure que le temps passe, il va se révéler sin-

cère et profond. Le natif du Capricorne ne supporte pas les femmes légères, vulgaires, agressives, malhonnêtes; il est très sélectif et il ne gaspillera jamais pour qui que ce soit ses précieuses énergies physiques et mentales.
Très sérieux, il conquiert par sa technique, par son obstination, par le sérieux de ses intentions. De toute façon, ce sera sa façon de faire, sobre, allant à l'essentiel, directe, dépouillée, sincère et sans aucun cabotinage, qui vous incitera à penser qu'il vous plaît, qu'il est convaincant.
Très pris par son travail et par ses intérêts, il vous demande d'être sa compagne dans la vie, dans les luttes qu'il doit mener jour après jour, lutte que les objectifs de son ambition personnelle lui imposent. S'il s'aperçoit que vous êtes non seulement une ombre silencieuse, mais encore une compagne agréable et désirable, il vous demandera votre main, souhaitant un mariage avare de sentimentalisme, mais durable et serein.
Si, par conséquent, vous désirez avoir près de vous quelqu'un qui prenne complètement en mains votre vie, qui décide à votre place, qui sache toujours résoudre n'importe quel problème mieux que vous, et qui, avec l'assurance qui lui est propre, ait toujours un remède pour tous vos maux, et bien, vous l'avez trouvé. C'est l'homme du Capricorne, un être sûr, simple et travailleur; vous vous entendrez parfaitement avec lui, en particulier si vous évitez toujours de le contredire.

Comment le conquérir

Entièrement absorbé par son ambition, il sera très occupé par la poursuite de ses objectifs. Sachez le stimuler comme il convient afin que, grâce à votre appui, il parvienne à atteindre les buts qui lui tiennent tant à cœur, mais ne vous

mesurez jamais à lui. Il vaut mieux rester à l'écart et ne pas exiger de pouvoir disposer de son temps libre.
Essayez de l'aider à dédramatiser les situations, car il est extrêmement sérieux et il doit apprendre à être plus souple et à voir le monde d'une manière plus confiante et plus optimiste.
Ne l'obligez pas à mener une vie chaotique et irrégulière, car Saturne suscite parfois en lui des désirs de solitude.
Il aime la haute montagne. Vous pouvez alors suivre, par exemple, un cours de varappe, vous habituer, comme la chèvre qui le symbolise, à escalader des hauteurs vertigineuses, vous familiariser avec les neiges, les glaces et le ski. En tout cas, attention aux rhumes!
Soyez toujours disponible lorsqu'il décide de vous emmener avec lui, toujours douce, gentille, patiente, affectueuse. Avec lui, vous vous entraînerez merveilleusement à l'anéantissement du moi et de la personnalité et vous deviendrez souple et flexible comme l'eau.

Comment elle conquiert

Les extravagances et les coups de tête ne sont pas son fort et elle considère l'amour comme une affaire sérieuse et privée. Elle aime calmement, un peu comme ses aînés, et elle ne fait jamais étalage de ses dons. Elle possède un grand sens de l'humour, elle s'attend au pire et accepte avec calme et une apparente imperturbabilité tant le bien que le mal. La passion est un feu de paille, et elle est convaincue que l'amour tranquille est le seul qui dure.
Elle n'aime pas le risque et, par crainte de souffrir, elle hésite longuement avant de se lancer dans une aventure ou une relation amoureuse. Pour s'ouvrir à l'amour, elle devrait apprendre à se laisser davantage aller dans ses relations

avec les autres, s'habituant à s'exprimer et à communiquer avec une plus grande assurance.
Sur le plan sexuel, elle n'aime pas les exhibitions compliquées et elle n'apprécie ni les scènes ni l'ostentation. Son partenaire doit donc être capable de comprendre et de deviner ses exigences secrètes, dont elle a beaucoup de mal à lui faire part. Très masculin et particulièrement viril, il doit lui demander, sexuellement, beaucoup plus que ce qu'elle est normalement disposée à donner.
Je vous conseille vivement (mais étant donné sa forte personnalité, qui la pousse toujours à n'agir que selon sa propre volonté, il est bien improbable que la native du Capricorne le suive) un cours de mime et d'art dramatique rendant plus naturelles ses relations avec les autres.

Comment la conquérir

La native du Capricorne a besoin d'un être qui parvienne à deviner sa gentillesse intérieure sous la fermeté de ses propos : son partenaire doit affronter sa carapace de dureté et réussir à l'apprécier en tant que femme.
Elle doit trouver une personne digne de confiance, qui ait, comme elle, des aspirations ambitieuses, qui sache faire toutes les petites réparations dans la maison, qui possède un sens pratique, mais surtout, qui ne soit pas sot et ne parle pas à tort et à travers, qui ne se livre pas à l'oisiveté et ne lui fasse pas perdre de temps : elle-même a du sens pratique, elle sait ce qu'elle veut et ne supporte pas les idioties.
Efforcez-vous donc de vous montrer sérieux, mûr; vieillissez-vous, car les natives du Capricorne ont tendance à tomber inévitablement amoureuses d'un compagnon plus âgé qu'elles, d'un enseignant... et elles sont particulièrement sensibles au charme de la maturité.

Dites-lui en outre que vos biens sont estimés à un prix important, que vous avez une assurance sur la vie, sur la mort, sur votre moto, sur votre bicyclette, sur votre machine à écrire... faites-lui comprendre que vous poursuivez des objectifs élevés et que vous avez de grands projets.
Faites-lui une cour prudente et mesurée : elle est méfiante par nature, et si vous la couvriez de cadeaux merveilleux et coûteux, elle se demanderait quels sont vos véritables objectifs et penserait que vous êtes un panier percé.
Soyez donc raisonnablement généreux, calme, patient, et donnez-lui l'impression que vous êtes un grand homme ou quelqu'un qui va devenir un personnage éminent : il est possible qu'avec du temps et de la paille, vous parveniez à allumer une passion romantique à la lueur des étoiles de décembre...

Comment le quitter

Il est sérieux, compétent, ambitieux, mais vous commencez à remettre en question ses qualités. Ne le prenez plus au sérieux, moquez-vous de sa sobriété. Commencez par jeter les objets précieux qu'il vous a offerts et qui constituent pour lui un précieux investissement.
Dites que les antiquités ne vous plaisent pas, que tous ces objets anciens vous attristent et vous démoralisent, touchez à ses chers livres, offrez-en quelques-uns, ou bien rendez-les lui méconnaissables. Il ne résistera pas longtemps et vous fera disparaître de sa vie.

Comment la quitter

Au lieu de vous montrer sûr et fidèle, suscitez en elle l'idée

que vous êtes faible et sentimental et demandez-lui sa protection. Il lui faudra certainement du temps pour prendre sa décision. En attendant, faites-lui comprendre que vous êtes un homme sans ambition et que vous n'avez pas de projets pour votre carrière.
Transformez-vous en une chiffe molle romantique, inventez des bêtises, racontez-lui des histoires fantaisistes, pleines de sornettes et de personnages idéaux, sans logique, donnez-lui des diminutifs ridicules, affublez-la de sobriquets douceâtres. Elle vous chassera, exaspérée.

Comment ils rompent

La simple pensée d'une séparation est très dure pour les natifs du Capricorne qui réfléchiront longuement avant de se décider. Ils ne vous abandonnent jamais complètement, et si vous faites en sorte d'être à nouveau disponible, ils pourront retrouver temporairement leur enthousiasme pour vous. A vous d'avoir la ténacité de cultiver constamment vos relations avec eux. Par ailleurs, vous n'aurez certainement pas beaucoup de concurrents car la tolérance, la patience, l'affection que demandent les natifs du signe ne sont ni très développées ni très courantes à notre époque.
Mais si vous les laissez tomber, il est très improbable qu'ils essaient de vous récupérer car ils sont indépendants, ils savent se débrouiller, ils n'ont besoin de personne, et il ne leur coûtera guère de rester seuls dans leur tour d'ivoire saturnienne.
Lorsque ce sont eux qui décident de rompre, ils le font sans appel, car dans ce signe se cachent des planètes comme Mars et Uranus qui n'ont pas un aspect évident, mais qui suscitent sécheresse et fermeté.

Verseau

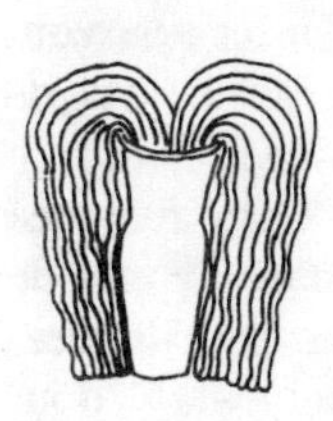

Du 300e au 330e degré du Zodiaque
Signe d'air, fixe
Domicile d'Uranus et de Saturne
Exaltation de Neptune
Exil du Soleil
Chute de Y-Eole

Lorsque le Soleil entre chaque année dans le signe du Verseau, où il demeure du 20 janvier au 18 février environ, la nature traverse la deuxième phase de l'hiver, commencée avec le Capricorne, et qui se termine avec les Poissons.
Le signe du Verseau se trouve donc en équilibre entre ces deux signes, à égale distance du solstice d'hiver et de l'équinoxe de printemps.
Dans le cycle annuel, la terre nue et glacée ne donne encore aucun signe de vie, mais la graine, qui est devenue un embryon au temps du Sagittaire, reprend sa croissance avec un maximum d'énergie après la paralysie hivernale du Capricorne, au cours de laquelle elle a absorbé les éléments nutritifs pendant le gel.
C'est une phase d'adaptation à l'environnement, car la graine, qui est maintenant devenue une petite plante, doit réagir avec circonspection et prudence si elle veut survivre. Les natifs du Verseau sont donc des personnes extrêmement dis-

ponibles, capables d'absorber minutieusement tout ce que leur offre leur environnement et de s'adapter à lui.
Ouverts aux idées neuves, curieux, prêts à saisir les nouveautés, ils sont d'habiles diplomates parce qu'ils ne se braquent jamais dans des prises de position obstinées et inflexibles. Peu orgueilleux, ils se réalisent dans leurs relations avec les autres, avec la société et les institutions.
Progressistes, ils accordent une grande valeur aux critères rationnels et croient généralement en la technologie.
Cédant facilement aux élans idéologiques et au mysticisme, ils ont une fixité beaucoup plus faible que chez les autres signes dits fixes, qui sont le Taureau, le Lion et le Scorpion, et qui se manifeste par des prises de position radicales et peut-être un peu fanatiques, ou par l'adhésion à une idéologie ou à un mouvement politique.
L'une des caractéristiques de ces prises de position est qu'elles sont presque toujours temporaires, car les natifs du Verseau se laissent rarement prendre au piège des schémas et des structures rigides, étant donné qu'ils sont toujours prêts à accueillir, l'évolution des idées sans aucune hésitation.
Leur planète guide, Uranus, a un caractère résolument anticonformiste et à certains égards révolutionnaire, qui s'efforce de saisir l'essence des relations et des choses.
Uranus est au-delà de Saturne, et si Saturne représente le temps et la matière, Uranus va au-delà du temps et de l'espace après s'être libéré des liens de la matière.
Le mythe que l'on associe au Verseau est celui de Prométhée, le titan qui voulait, en faisant uniquement appel à ses propres forces, escalader l'Olympe et voler le feu sacré, symbole de l'intelligence créatrice des dieux, pour le donner aux hommes. Jupiter, chef des dieux, le punit en l'enchaînant à un rocher, lançant sur lui chaque jour un aigle qui lui dévorait le foie (symbole de son courage), organe qui se reconstituait complètement chaque nuit.

Les natifs du Verseau, fortement influencés par Uranus, possèdent un sens inné de la rébellion et éprouvent un désir permanent de renouvellement et de progrès. Peu importe si, pour ce faire, ils doivent bouleverser les structures sociales en place. L'ère du Verseau, qui est déjà commencée, est caractérisée, au point de vue astronomique, par le fait que le point vernal de l'équinoxe de printemps se trouvera dans la constellation du Verseau pendant les 2000 prochaines années.
Cette ère annonce que l'homme va se détacher des valeurs terrestres, qu'il va évoluer et s'élever vers le ciel : qu'il s'agisse d'avions, de gratte-ciel de fusées interplanétaires, de la conquête de l'espace, toutes ces entreprises auxquelles Uranus invite les hommes se présentent sous la forme de grandes ambitions prométhéennes.
La phase du Verseau est celle au cours de laquelle l'homme prend conscience de lui-même et des gigantesques possibilités de son intelligence. Mais ce n'est pas tout. L'excès de courage, le défi lancé à l'Olympe sont punis, parce que la connaissance ne peut suffire à donner le bonheur à l'homme. En effet, Uranus ne représente qu'un aspect du signe. Il a à ses côtés Neptune, la planète porteuse d'eau qui insuffle aux natifs des idéaux élevés de fraternité et de compassion. Cet astre fait comprendre aux hommes que le vrai bonheur va au-delà du niveau de la connaissance et qu'il ne réside que dans l'océan de l'amour divin, lequel, se transformant en mille ruisseaux, rivières et fleuves, établit entre nos âmes un lien aérien et invisible que les vrais Verseaux ressentent comme "l'amour universel".

Le Verseau et l'amour

Mais alors, comment aiment les natifs du Verseau? Ces

êtres un peu éthérés, porteurs d'espoirs et de rébellions, oscillent perpétuellement pour atteindre ou garder leur équilibre. Et en effet, le symbole qui les représente est un jeune homme, tenant dans ses mains deux amphores semblables, qui transvase soigneusement l'eau d'une amphore dans l'autre sans en renverser une goutte... Cela suppose un grand sens de la mesure, une capacité de pondération et d'évaluation, un détachement des excès et des instincts. Bizarres, excentriques, artistes, géniaux, ils sont absolument imprévisibles et en particulier dans la vie amoureuse, où il sont souvent insaisissables pour leur partenaire. Le Verseau est le troisième signe d'air.
Alors que les Gémeaux symbolisent, par leur versatilité, les relations amicales de compagnons d'école ou de collègues et que la Balance introduit dans le Zodiaque les relations amoureuses, les liens de couple, le mariage et par conséquent une relation opposant le tu au je, il n'en va pas de même pour le Verseau : au Moi s'oppose le "nous" collectif. Sur le plan relationnel, il préfère les amitiés aux liens intimes proprement dits qu'il a tendance à structurer d'une façon résolument libérale et désinvolte.
Uranus insuffle aux natifs du signe du Verseau une plus grande ouverture sociale et un besoin de liberté ressentie comme le fondement de toute relation.
Par conséquent, en amour aussi ils ont tendance à entretenir des relations irrégulières, riches en fantaisie et en tension, ouvertes aux solutions les plus étranges, car ils sont sans cesse à la recherche de l'amour idéal. Chez eux, la sensibilité et la sensualité sont souvent intimement liées à une imagination qui les entraîne vers des rêves difficilement réalisables.
Souvent, ils n'aiment pas leur partenaire pour ce qu'il est réellement, mais pour ce en quoi leur imagination le transforme.

Ils aspirent en général à la formation d'un couple ouvert ou non conventionnel qui leur permette de disposer d'un maximum de liberté dans le domaine de l'amour sans que la société puisse leur imposer des obstacles ou des engagements dans leurs sentiments amoureux.

Habituellement ouverts d'esprit, tolérants, souples, diplomates, faisant peu de cas des préjugés courants, ils ont tendance à renoncer aux rôles classiques et traditionnellement patriarcaux. Ce qui compte le plus pour eux est leur dignité d'être humain.

Les natifs du Verseau vivent la société non pas tant pour les devoirs et les exigences politiques qu'elle exprime ou impose, qu'en tant que moment culturel, point de rencontre des idéaux inspirant les groupes qui la composent.

Ils désirent par conséquent se libérer des normes de la légalité, de la religion, de la politique pour réaliser leur idéal d'amour libre.

Incapables de supporter l'idée qu'ils peuvent rester prisonniers d'un mariage sans amour, ils dissimulent parfois leur vulnérabilité émotive derrière une cuirasse de froideur et d'indifférence pour éviter de se laisser entraîner. Ils se donnent plus volontiers à une communauté qu'à une personne, comme si leurs relations avec des étrangers étaient plus enrichissantes pour eux que celles qu'ils entretiennent avec leur famille.

Ils désirent avoir à leurs côtés une personne qui soit surtout un compagnon, un ami, et qui ne les enferme pas dans une structure, quelle qu'elle soit; ils veulent des relations amoureuses qui soient fondées sur la communion d'idées et les échanges intellectuels.

Dans tous les cas, ils ont tendance à intellectualiser l'amour, se refusant aux tempêtes et aux tourbillons de la passion.

Ils croient en les choix personnels et luttent pour le droit de chacun à décider pour soi.

Ils accordent une grande liberté d'action aux autres et attendent d'eux un traitement similaire.
Théoriquement, ils donnent l'impression d'être très ouverts et de s'être libérés de leurs inhibitions, mais lorsqu'il s'agit de passer à la pratique, ils risquent très souvent de retomber dans de vieux schémas de comportement. En amour, ils voudraient tout comprendre par leur intelligence et leur esprit et ils ont une réticence naturelle à se donner véritablement à l'autre. De plus, ils renoncent difficilement à contrôler les situations dans lesquelles ils se trouvent, et il en va de même pour leurs émotions.
Ils ont très peur de s'exposer et de se rendre vulnérables. Lorsqu'ils se laissent aller, ils ont une imagination très développée et ils adoptent volontiers des attitudes aussi bien traditionnelles que totalement anticonformistes et non conventionnelles.
Ce ne sont pas des passionnés, et il ne sera pas facile d'obtenir d'eux qu'ils dévoilent les aspects les plus intimes de leur personnalité : souvent, en effet, intellectuels comme ils le sont, ils agissent davantage en spectateurs et en solliciteurs des rapports sexuels qu'en amants. S'ils réussissent à voir leur partenaire totalement pris et entraîné, alors seulement ils seront satisfaits et convaincus d'avoir été de bons amants.

L'homme du Verseau

Il s'agit sans aucun doute de l'être le plus complexe du Zodiaque, non seulement pour lui-même, mais aussi pour ceux qui doivent le comprendre. Contrairement au signe du Lion, son opposé, dont les natifs sont fortement conditionnés par une importante impulsion d'auto-affirmation, l'homme du Verseau ne possède pas ces forces vitales qui pourraient lui permettre de s'insérer avec agressivité et violence dans la réalité.

Détaché, ennemi des excès, des sentiments violents, l'homme du Verseau n'essaie jamais, pas même en amour, de s'imposer à sa partenaire ou d'exercer sur sa compagne un quelconque pouvoir. En tant que signe de chute du Soleil, cet astre ayant élu domicile dans le signe opposé du Lion, il n'a pas de désirs sexuels impérieux et violents, et en général, lorsqu'il rencontre quelqu'un il a tendance à ne pas distinguer les sexes et à considérer la femme avant tout comme une personne.

Cela ne veut pas dire qu'il manque d'érotisme ou qu'il ne sache pas aimer, mais il n'est pas instinctif, il ne réagit pas immédiatement. En amour aussi, il a tendance à intellectualiser les sentiments, s'efforçant de les amalgamer dans son besoin d'équilibre et de maîtrise de soi, composante si importante de son caractère.

Il exclut les amours bouleversantes et les passions et privilégie l'amitié et les affinités électives.

Il n'est donc pas ce qu'on peut appeler un Don Juan. Il n'essaie jamais de dominer sa compagne et il est étranger à toute forme de démonstration de force ou de virilité. Original, fascinant, il exerce un fort magnétisme qui est dû en partie au fait qu'il ne paraît jamais être complètement plongé dans la réalité.

Sa façon de s'exprimer, étrange, son regard quelque peu mélancolique et doux donnent à la personne qui l'aime l'impression qu'il est toujours avec nostalgie plongé dans des univers lointains, évanescents, qui se trouvent au-delà de notre réel. En effet, il est toujours un peu fuyant et il vit dans une dimension qui lui est propre.

Il exige tout de sa partenaire : elle doit être une compagne, une amie, une maîtresse, une épouse, une sœur et une fille. Du fait de sa vocation d'idéaliste, il a tendance à l'idéaliser, mais si, en définitive, elle s'avère ne pas correspondre à ses désirs, il risque de la quitter. Il est pratiquement impossible de le retenir, car il faudrait pour ce faire parvenir à traverser cette cuirasse de désinvolture détachée et de liberté d'esprit cynique qui le protège de tout véritable investissement émotif plus profond et authentique.

La femme du Verseau

La native du Verseau est la femme la plus moderne et la plus dynamique du Zodiaque.
Il y a en elle un fascinant mélange de traditionnalisme et de futurisme, mais sa recherche de l'anticonformisme et du mépris des conventions se transforme parfois en besoin d'approbation, de logique, de soutien rationnel.
Libre et dépourvue de préjugés, elle se bâtit très souvent une vie indépendante, sans trop se soucier de la morale commune et des obligations familiales.
Ses relations amoureuses sont en général équilibrées.
Peu encline à la passion, elle entretient des relations qui sont des amitiés amoureuses fondées sur ses affinités avec son partenaire.
La femme du Verseau est surtout une compagne avec laquelle partager des expériences culturelles et spirituelles. Elle peut être distraite, avoir le sens pratique, se montrer extravertie, affectueuse, capricieuse, loyale, altruiste, jamais possessive ou étouffante. Elle demande à l'être qu'elle aime protection, disponibilité et courage pour oublier le passé et envisager sereinement un avenir meilleur.
Elle désire une relation amoureuse romantique, mais mesurée, équilibrée, tout en étant originale et créative. Elle porte un intérêt sincère aux autres, et elle se réalise, plutôt que dans une relation de couple très intime, dans toutes les

activités politiques, sociales et réformistes qui la mettent en contact avec un public nombreux, toujours renouvelé, ou bien avec une communauté.
Elle n'a en général pas beaucoup d'histoires d'amour irrégulières ou tumultueuses : elle aussi a tendance à idéaliser son partenaire, mais si elle se rend compte qu'il ne correspond plus à son idéal, elle le quitte simplement, sans grands drames.
Elle sent instinctivement l'inévitable nécessité de changements que la vie exige et au lieu de refuser les métamorphoses, elle les accepte avec une grande souplesse, et cela, même sur le plan affectif.
Son besoin permanent de s'engager sur un plan communautaire pour des causes idéologiques importantes la met souvent aux prises avec des groupes ou des communautés. Elle risque alors de perdre le contact avec elle-même et de faire passer au second plan les relations étroites et intimes, les tête à tête. Elle finit souvent par ignorer les relations plus personnelles et par oublier que somme toute, une caresse ou un baiser peuvent être plus efficaces qu'un débat ou une conférence.
Lorsque l'amour a disparu, elle parvient souvent à transformer son compagnon en grand ami, opération que réussissent bien peu de femmes des autres signes du Zodiaque.

Comment il conquiert

Il est complètement absorbé par ses problèmes humanitaires et sociaux, et vous devrez être au moins aussi engagée que lui dans des manifestations politiques et syndicales, auxquelles vous ne manquerez probablement pas de participer ensemble.
Si vous vous attendez à des actes chevaleresques, à des cé-

rémonies "d'amour courtois", à une cour démodée ou moderne, détrompez-vous tout de suite: il cherche une amie, une femme avec laquelle tisser une entente plus mentale qu'affective et sexuelle.
L'homme du Verseau, comme nous l'avons déjà dit, préfère une relation d'égal à égal, libre, désinvolte. Il conquiert par son imagination, son inventivité et l'originalité de ses idées. Délicieux, plein de verve, de tendresse qu'il ne manifeste jamais ouvertement, il semble parfois disparaître dans son monde imaginaire de créatures, lointaines et irréelles pour vous, mais qui ont une signification précise pour lui. Il est très généreux, mais les cadeaux qu'il vous fera seront toujours modernes et futuristes: ordinateurs, jeux vidéo, jeux de science-fiction. Le soir, il vous emmènera observer le ciel, non pas pour rêver en regardant les étoiles, mais pour voir atterrir des soucoupes volantes. Esayez de l'écouter: vous rencontrerez peut-être vraiment un OVNI.

Comment le conquérir

Vous souvenez-vous de Jules Verne, l'auteur de *Vingt mille lieues sous les mers*? Et bien, c'était un Verseau. Ainsi, le natif de ce signe est un être tout aussi dynamique, doué d'imagination, tout à fait capable d'inventer totalement une autre réalité et de s'y installer. Il y a une chose que l'homme du Verseau ne supporte pas: l'ennui.
Comme ils n'ont pas tous la verve et la créativité de Jules Verne, ils peuvent se trouver temporairement dépourvus d'idées. C'est alors à vous de les inventer pour eux. Etonnez-les. Racontez-leur les extraordinaires aventures que vous vivez en captant des ondes sonores et des mélodies enchanteresses provenant d'une autre dimension.
Dites-lui que vous voyez les mondes supérieurs et que vous

vous êtes liée d'amitié avec leurs habitants, racontez que vous passez des heures et des heures à converser aimablement avec ces étranges personnages, vivant les plus incroyables aventures.
Stimulez son imagination fertile et ne vous montrez ni jalouse, ni possessive afin qu'il ne soupçonne pas le moins du monde que vous puissiez tenter de limiter sa sacro-sainte liberté. Il est altruiste et vous devrez donc faire preuve de la plus grande générosité avec tout le monde et tenir en haute estime vos amis, les siens, les amis de tous, le concept d'"amitié" en soi. En somme, séduisez-le non seulement par votre sex-appeal, mais aussi par le côté le plus original et le plus étrange de votre personnalité.

Comment elle conquiert

La femme du Verseau possède une intelligence rationnelle et pratique, associée à des intuitions géniales et à une imagination ouverte à toutes les possibilités et parfois extrêmement créative.
Elle conquiert par sa désinvolture, son détachement, sa dextérité mentale.
Elle a souvent tendance à devancer les temps, à les prévoir, elle se trouve toujours à l'avant-garde dans ses idées et dans son mode de vie.
Elle vit projetée dans l'avenir. Peu romantique, démystificatrice, elle s'adapte mal aux structures traditionnelles et elle a tendance à les démanteler. En amour, ni passionnée, ni ardente, elle ne brûle jamais, ne s'exalte pas et frissonne d'horreur face à un crime passionnel.
Elle vous séduira par son anticonformisme, par la faculté qu'elle a de vous laisser libre de mener votre vie selon vos aspirations et par conséquent, sans jamais vous imposer sa

volonté. Elle cherche quelqu'un avec qui partager pleinement ses idées qui sont très grandes et réalistes. Elle déteste les colères et les scènes de jalousie, elle veut établir avec vous des liens d'amitié, sentiments qu'elle considère comme beaucoup plus élevés que l'amour. En amour, elle ne recherche pas la réalisation totale de sa personnalité : elle sait que la vie peut lui offrir bien d'autres surprises et que l'amour n'est que l'une d'entre elles.

Comment la conquérir

Relativement détachée, elle donne parfois l'impression qu'elle est montée en avion au sommet du ciel et qu'elle regarde, de là-haut, les liens complexes qui régissent les rapports humains. Bonne, gentille, affable, aimable, altruiste, elle préfère analyser les difficultés des autres plutôt que de parler d'elle-même et de ses sentiments. Vous aurez certainement déjà compris que le moins que l'on puisse faire pour la séduire est d'être son ami, de ne jamais menacer en aucune façon sa liberté et de stimuler sans cesse son inépuisable vitalité intellectuelle.
Accordez une grande importance aux questions anti-racistes, sociales, humanitaires, et soyez toujours prêt à défendre les faibles, les opprimés, ceux qui souffrent et qui subissent des injustices, à descendre dans la rue pour lutter au nom de ces idéaux.
Elle aura tendance à vous idéaliser et elle vous imposera un rôle de surhomme auquel vous aurez du mal à résister longtemps.
Légèrement mélancolique, elle dissimule des instants de tristesse derrière des masques de gaieté et des éclats irréguliers de vivacité : Saturne et Uranus, les deux planètes qui gouvernent le Verseau, ont tendance à la plonger dans de profonds

doutes existentiels. Mais il ne s'agit que d'un instant fugace, car, rapidement, un nouveau rêve, un nouveau voyage, une nouvelle idée balaieront les petits problèmes quotidiens pour les remplacer par une nouvelle vague d'évasion.

Comment le quitter

Ce n'est pas très difficile : expliquez-lui avec franchise quelles sont vos raisons et il comprendra certainement votre point de vue avec clarté et sans passion.
Mais si jamais cela ne suffisait pas, demandez-lui de vous raconter en détail ce qu'il a fait pendant la journée, faites-lui des scènes de jalousie, inondez-le d'attentions, de gentillesses, de prévenances. Il se sentira complètement étouffé, il craindra de perdre sa chère liberté et vous tournera alors les talons, disparaissant et se dissolvant dans l'air.

Comment la quitter

On n'a pas souvent l'occasion de quitter une native du Verseau, car elle est indépendante, non possessive, non sentimentale. Pour l'éloigner, il suffit de se comporter comme l'écrasante majorité du genre masculin : soyez autoritaire, violent, envahissant, toujours prêt à donner des conseils ou à lui apprendre quelque chose.
De plus, courtisez-la avec fougue, montrez-lui combien vous êtes fort et viril, ayez de grandes exigences sexuelles, promettez-lui feu et flamme dans ce domaine. Si vous jouez le rôle de l'homme maître, ardent, passionné, tyrannique, exclusif, vous la perdrez certainement car elle disparaîtra comme neige au soleil.

Comment ils rompent

Cela arrivera brusquement : le désir de liberté, de métamorphose, de progrès intérieur, le besoin de rompre les liens existants pour s'ouvrir à quelque chose de nouveau, de différent, se feront impérieux en eux. Pas nécessairement parce qu'ils envisagent un nouvel amour, mais en raison d'une simple impulsion intime d'évolution, les natifs du Verseau deviennent invisibles, insaisissables.
Ils vous diront un jour qu'ils ont changé d'idée sur votre amour, qu'il "n'est plus" ce qu'il était, que votre relation amoureuse est terminée et qu'il n'y a plus rien à faire. Pour eux, le passé et le présent n'existent pas : il n'y a que l'avenir. Il s'agit en outre d'un signe fixe. Il vaut donc mieux accepter de bonne grâce ce changement de vie : ils resteront toujours vos meilleurs amis.

Poissons

Du 330e au 360e degré du Zodiaque
Signe d'eau, mutable
Domicile de Neptune et de Jupiter
Exaltation de la Lune
Exil de Mercure
Chute d'Uranus

Lorsque le Soleil entre chaque année dans le signe des Poissons, entre le 19 février et le 20 mars, la nature traverse la troisième et dernière phase de l'hiver. La distance qui sépare le Soleil de l'équinoxe de printemps n'est plus alors que de 30 degrés, et le deuxième cycle de la nature, entamé au temps du Scorpion, est en train de se terminer.
Le moment du dégel approche : les neiges sont en train de fondre et de se transformer en fleuves et en rivières. Cette abondance des cours d'eau a une valeur de liquéfaction et de dissolution, de déluge purificateur.
Les liens se dissolvent, les forces de cohésion disparaissent. Les premiers froids s'éloignent et notre petite plante, dont nous suivons les péripéties depuis le moment où elle a été semée, en novembre, est désormais devenue une nouvelle individualité, elle est maintenant complète, bien qu'elle demeure encore protégée au sein de la terre. Protégée contre toute menace extérieure, cette petite plante qui n'est pas

encore sortie de terre profite ainsi des derniers instants de vie dite “intra-utérine” avant de devoir se détacher de la mère, que symbolise dans le signe l’exaltation de la Lune.
Un nouveau cycle de vie commencera pour elle lorsqu’arrivera le moment de la naissance et de l’individualisation en tant que nouvel être, symbolisé par le signe zodiacal suivant, le Bélier.

Les Poissons sont des êtres sensibles, doux, affectueux, tendres, romantiques, mais ils possèdent une nature terriblement ambivalente et pleine de contradictions. Insatiables sur le plan affectif, désirant constamment être rassurés, ils sont attirés simultanément par un genre de personne et par son opposé.

S’ils se déclarent traditionnalistes et aiment la famille, la maison, leurs enfants, ils se sentent en même temps attirés par la liberté, l’anticonformisme, la contestation, et désirent échapper au schéma des valeurs collectives au sein duquel ils vivent.

Tout est double chez eux: le symbole qui les représente, deux poissons nageant chacun dans une direction opposée, et leur nature même qui fait coexister deux pôles d’attraction: matière et esprit, sentiment et raison.

On trouve aussi chez les natifs de ce signe des personnes extrêmement différentes les unes des autres: il y a ceux qui réussissent à se réaliser en acceptant leur dualité et en parvenant à fondre les fortes inspirations neptuniennes dans le génie, la science, l’art, la religion. Ceux-là conquièrent, au prix d’un gros effort et d’une immense force d’âme, une forte personnalité extrêmement évoluée et de haut niveau spirituel, mettant ensuite leurs dons et leurs talents au service des autres.

Beaucoup d’autres, en revanche, sentent presque confusément l’immense intelligence révélatrice dont ils pourraient être dotés, mais ils ne font pas suffisamment preuve de cons-

tance pour extérioriser le meilleur aspect de leur personnalité, et ils ne savent pas dans quelle direction s'orienter. Mécontents, velléitaires, ils désirent réaliser leurs projets mais en même temps ont peur qu'ils se réalisent.
Souffrant d'instabilité aussi bien sur le plan intellectuel qu'affectif, ils se laissent souvent prendre par l'attachement aux choses et aux personnes qu'ils ont tendance à idéaliser sous l'influence de Neptune, la planète qui gouverne le signe. Dans cette thématique de conflits intérieurs, le mythe de la jeune Derceto, associé symboliquement aux Poissons, correspond bien aux natifs du signe.
La jeune femme, s'étant aperçue qu'elle était enceinte et incapable d'accepter cette réalité si simple et si humaine, commet un geste regrettable d'autodestruction : elle se jette à la mer. Neptune, dieu de la mer, la transforme en sirène, mi-poisson et mi-femme et fait d'elle ce qu'elle voulait être : ni chair ni poisson, ni complètement aquatique, ni totalement humaine.
Ce mythe souligne et veut symboliser le comportement névrotique de certains natifs du signe auxquels manque souvent le courage de supporter le choc du contact avec le réel et qui risquent de tomber dans des attitudes régressives et d'être en fin de compte détruits par ce en quoi ils avaient cherché refuge.
Ils doivent par conséquent lutter contre la tentation neptunienne qui les pousse à s'évader, à fuir le monde en lui opposant une foi solide en leurs propres richesses et capacités intérieures.

Les Poissons et l'amour

Le cœur des natifs de ce signe est au moins aussi compliqué que leur personnalité, qui est toujours indéfinissable, insai-

sissable et fuyante. Ils possèdent une nature extrêmement émotive et vulnérable.
Réceptifs, passifs, ils se laissent imprégner par les choses et par les événements au point qu'ils se laissent ébranler, impressionner, influencer par eux.
Ils ont tendance à dilater à l'extrême les impressions émotives qu'ils reçoivent afin de se sentir un avec le Tout et ils réussissent à se faire absorber par la personne aimée au point de pénétrer facilement en elle, perdant ainsi leur identité.
Leur bonheur se confond avec le désir de fuir un monde de contraintes dont ils puissent s'évader et de prendre contact avec une dimension plus élevée qui transcende le tout et l'unisse.
Captivée par des sensations et des émotions multiples, perdue dans un rêve sans limite, leur âme est le carrefour de passions contradictoires et silencieuses. Leurs amours sont toujours tourmentées et il est difficile de comprendre les mobiles secrets de leur vie affective.
Ils s'efforcent toujours d'aller au-delà des choses et des personnes, en les dilatant.
Ils vivent dans un monde d'images virtuelles et ils ont tendance à placer une auréole autour de la tête de l'être aimé qui en prolonge et en allonge les contours. Les rêves de la nuit et les actions du jour s'unissent en un incessant dialogue entre le Moi conscient et les instances de la vie instinctive et inconsciente.
En amour, il en va de même: ils ne poursuivent jamais clairement leurs buts, ils hésitent, s'interrogent, attendent la provocation, le signe, l'appel. Ils essaient un chemin, puis un autre, traçant un itinéraire fuyant et tourmenté non dépourvu de contradictions, qui peut sembler pittoresque et romantique aux autres.
Leur principale difficulté est de parvenir à réaliser une

unité intérieure: tout se passe comme si leur personnalité comprenait plusieurs points de référence, des Moi différents qu'ils doivent, d'une façon ou d'une autre, faire coexister, mais qui sont trop différents pour s'extérioriser dans des actes précis, pour ne pas engendrer de confusion et pour aller au-delà d'un simple rêve.

Ils risquent donc de ne pas savoir ce qu'ils veulent. Il arrive que, même pour les décisions qui concernent l'amour, ils finissent par s'en remettre aux sentiments, aux sensations, aux prémonitions. Dans leur conscience, les valeurs sont si confuses et si ambiguës qu'il leur arrive souvent de ne pas avoir un sens précis du vrai et du réel; ne sachant se décider, ils tombent dans la perplexité. Si par hasard ils trompent leur partenaire, ils ne le font jamais intentionnellement, car l'atmosphère dans laquelle ils vivent est toujours tellement irréelle que leurs mythes peuvent avoir valeur de réalité et vice-versa.

Chez le type supérieur, cette incapacité de décision devient goût de la contemplation, détachement, et le mirage de l'indéfini devient appel de l'infini, les hallucinations deviennent illuminations, la conscience somnolente devient ferveur mystique.

Ils ont donc besoin d'un partenaire qui les aide avec douceur à avoir davantage le courage de leurs actions, qui les persuade de sortir de l'enfance en favorisant chez eux une maturation émotive progressive, qui les incite à surmonter les crises de démoralisation dans lesquelles ils tombent souvent, en les stimulant graduellement à faire preuve d'une cohérence et d'une autonomie plus importantes.

Rêveurs, sensibles, ils doivent, dans les relations intimes, déployer tous les efforts possibles pour conserver l'indépendance de leur personnalité et ne pas se laisser suggestionner. Introvertis, peu clairs, ils ont tendance à fuir les prises de position face à la vie: ils ont besoin d'un partenaire qui leur

évite de se sentir coupables et qui les aide à mieux s'accepter.
Amants sensibles, raffinés, sensuels, créatifs, un peu masochistes, ils choisissent souvent les personnes qui leur conviennent le moins; ils croient que l'amour et le sexe sont intimement liés. C'est en ce sens que leurs expériences peuvent être extrêmement belles s'ils trouvent un compagnon capable de saisir le meilleur aspect de leur personnalité, ou bien humiliantes s'ils tombent dans les méandres de l'exploitation et de la négation de soi.
Doués d'une subtile intensité, ils conquièrent le cœur de l'être aimé en lui donnant l'impression qu'il est unique, en lui faisant croire qu'ils ne sont là que pour satisfaire ses désirs.
Ils veulent un amour enjoué, libre, gai, plein d'imagination, qui leur fasse connaître des choses inconnues, des humeurs et des changements nouveaux qui les détournent de la peur de vivre et de leurs sentiments de culpabilité permanents.

L'homme des Poissons

Ce n'est pas un grand conquérant. Assez timide, il a du mal à se décider et il trouve parfois très satisfaisantes les relations platoniques qui le libèrent de toute responsabilité et qui lui permettent de ne pas affronter la réalité.
Il tient beaucoup à sa liberté qu'il a très peur de perdre lorsqu'il se lie.
Il n'aime guère faire étalage de son amour qui doit demeurer secret et toujours un peu entouré de mystère.
Il n'est absolument pas enclin à lutter contre un rival. C'est à la personne aimée de choisir son partenaire. Par ailleurs, il ne s'engage pas activement pour la courtiser. Il attend toujours que l'autre fasse le premier pas ou qu'elle parcoure au moins la moitié du chemin.

Capable de s'identifier à sa partenaire, il est tellement sensible qu'il se laisse souvent influencer par son humeur. Plein de charité, de compréhension, de compassion, il a une certaine vocation au sacrifice. Mais il doit donner librement sans y être contraint, sinon, il vous glissera entre les doigts en s'esquivant, car les Poissons sont passés maîtres en cet art.
Plein de contradictions, il désire rêver également en amour, et il a parfois peur de réaliser ses rêves. Il a vraiment l'art de temporiser. Il vit en réalité d'émotion, d'images vagues et imprécises et il a du mal à séparer le réel de l'imaginaire. Doux, passionné, tendre et sensible, il a besoin d'une partenaire qui balaie ses anxiétés, qui le comble d'attentions et de tendresse, et qui s'occupe en partie de l'organisation de sa vie. Il doit avoir à ses côtés une femme très féminine et docile, qui l'encourage, le pardonne et qui se montre toujours accueillante et compréhensive.
Rappelons cependant que, souvent, une concentration de planètes dans un autre signe plus actif et doué d'une plus grande vitalité que les Poissons fait en sorte que cet autre signe absorbe les énergies des Poissons, en mettant en évidence ces autres valeurs.
On aura ainsi un Poisson fortement influencé par le Bélier, s'il a quelques planètes dans ce signe, ou par le Taureau, etc... car leur sensibilité excessive réagit à toutes les répartitions des énergies, dans un sens ou dans l'autre.

La femme des Poissons

La femme des Poissons est une grande romantique. Réceptive, extrêmement féminine, intuitive et magnétique, elle possède une grande énergie psychique et spirituelle. Sensible à tous les enchantements de la possession amoureuse, elle désire appartenir totalement et sans réserves à son partenaire, auquel elle demande aide, appui, protection, amour. Elle a malheureusement tendance, du moins dans la première phase de la jeunesse, à choisir des personnes qui la déçoivent, ce qui n'est pas particulièrement surprenant car, rêveuse comme elle l'est, elle idéalise facilement son compagnon. Tout à son désir de lui plaire, elle se montre souvent passive; pour elle, la soumission est un moyen qui devrait permettre d'attirer, de conquérir et de retenir son partenaire, sur qui elle reporte toutes ses tensions émotives et sentimentales, devenant souvent dépendante de lui. Il s'agit d'une attitude qui a en général tendance à la dépouiller et à la priver de personnalité.

Elle accepte souvent les douleurs et les souffrances comme des composantes naturelles de la vie; le complexe de culpabilité qui est toujours latent en elle l'incite à s'engager pour des causes, mais presque toujours en faveur du perdant. En amour aussi, elle passe souvent sa vie à bâtir des châteaux en Espagne, se consacrant à des activités qui lui permettent d'être indulgente avec elle-même, de ne pas affronter ouvertement la réalité.

Son désir d'aimer et d'être aimée est toujours associé à l'impression de la douleur, du chagrin et du sacrifice. Elle aurait besoin de participer à des choses qui l'aident à avoir davantage confiance en elle, à donner et à savoir recevoir. Dans les relations amoureuses, elle a tendance à s'attacher excessivement, et il lui faut donc apprendre à être plus analytique, plus claire, à développer un détachement mental et un jugement rationnel.

Sur le plan sexuel, elle est une merveilleuse partenaire. Elle n'a jamais envie de se mesurer à l'être aimé et, dans les rapports sexuels, elle risque parfois de devenir prisonnière du rôle qu'il lui impose.

Potentiellement jalouse, elle ne supporte pas que l'homme

qu'elle aime regarde autour de lui. Elle a tendance à réprimer et à ne pas reconnaître son côté autonome et indépendant et elle pense pouvoir obtenir davantage par la douceur, le charme, la gentillesse et la timidité ou en rougissant plutôt qu'en exprimant clairement ses désirs.

Comment il conquiert

Il possède un charme profond et caché qui se manifeste dans sa façon de parler à voix basse et insinuante, dans son regard toujours un peu magnétique et d'une couleur indéfinissable.
Il séduit par sa façon de faire, par sa douceur, sa gentillesse, sa courtoisie, par les analyses psychologiques profondes auxquelles il se livre sur le caractère de l'être qui se trouve en face de lui et auquel il réussit souvent à s'identifier.
Il parvient en outre à percevoir, par l'intuition, les mouvements les plus secrets de son esprit.
Sa façon d'explorer et de séduire les femmes est toujours dans un certain sens circonspecte, il n'a pas tendance à s'engager sur un territoire de conquête trop difficile.
Il ne se contente pas des antennes qu'il a déjà et qui ne sont autres que le trident de Neptune. Il applique instinctivement à la personne qui l'intéresse un système de ventouses qui doivent le renseigner sur le type de personne auquel il a affaire. Ensuite, selon le résultat de ces avances, il continue sans jamais aller trop loin, attendant toujours pour passer à l'étape suivante d'avoir reçu des réponses adéquates. Indécis, timide lorsqu'il s'agit de prendre des initiatives, il possède une vive imagination et comme toujours, il a tendance à idéaliser et à vivre de très nombreuses aventures imaginaires qui n'ont absolument aucun lien logique avec la réalité.

Comment le conquérir

Il vit certainement dans un monde qui lui est propre, fait de sensibilité et de romantisme et il faudra donc s'adapter à son univers vague, quelque peu nébuleux et laiteux, car, évidemment, il ne lui est pas possible d'en sortir.
Un poisson peut-il rester longtemps hors de l'eau?
Il faut donc vous adapter à son humeur changeante, à la complexité de sa psyché.
Soyez extrêmement gentille et ne vous risquez pas à faire des mots d'esprit qu'il ne comprendrait pas ou qu'il pourrait mal interpréter. Vous pourriez inconsciemment le blesser, sans même vous en apercevoir: il ne vous le dirait jamais parce qu'il garde tout pour lui.
Evitez à tout prix de vous montrer d'une façon ou d'une autre agressive ou bien possessive et ne lui forcez donc jamais la main.
S'il a l'impression que vous voulez le "capturer", il vous échappera en vous glissant entre les doigts. Aidez-le à être plus réaliste, à faire preuve d'un plus grand sens pratique; faites en sorte qu'il évite de faire de mauvais choix, dictés, par exemple, par l'imagination ou bien encore par des pressentiments.
Il fait un compagnon doux, affectueux, capable d'une multitude de petites attentions, de petits cadeaux qui constituent à ses yeux un témoignage de l'affection qu'il vous porte.
Evitez de l'emmener ou de l'inviter à des réceptions, des fêtes, des réunions mondaines. Il n'est pas du genre à désirer briller en société.

Comment elle conquiert

Plus qu'une conquérante, elle est un disciple et il arrive sou-

vent qu'elle refuse de se lancer dans l'aventure par peur d'être rejetée. Elle désire se laisser séduire, se laisser entraîner par les "eaux" de la relation amoureuse dans laquelle elle s'est enfoncée.
Elle traduit souvent le mot "aimer" par le verbe "pleurons ensemble".
Pas du tout courageuse, elle se rend bien vite compte que l'amour est le ressort de la vie; elle aime l'amour et vit toujours plongée dans un océan de sentiment, romanesque, plein de trames extrêmement compliquées.
Lorsqu'elle rencontre quelqu'un, ses premières impressions sont les plus déterminantes. Elle va tout faire pour l'attirer à elle, en se consacrant totalement à lui, par des gestes affectueux, par toutes les petites attentions dont elle le comble, mais dont elle a elle-même besoin.
Autrement dit, elle est prête à se consacrer à "l'adoration totale" et vous ne saurez pas résister à l'idolâtrie dont elle fait preuve à votre égard, idolâtrie qui ne laisserait absolument personne insensible.
En effet, qui refuserait de paraître meilleur qu'il ne l'est en réalité?
Cependant, au moment où elle sortira de son rêve pour revenir sur terre, ce qui est malheureusement inévitable, ce sera dramatique: elle vous inondera de larmes et de lamentations faciles, car vous vous serez rendu coupable de ne pas correspondre à ses rêves.
C'est alors que la situation se renversera et que vous tomberez amoureux d'elle car vous vous sentirez comme un misérable qui l'a trompée et vous verrez en elle une femme supérieure qu'il faut adorer. Désormais enivré par l'adulation et l'exaltation que vous suscitiez en elle, vous la chercherez en vain. Malheureusement, elle sera déjà en train de bâtir un autre mythe et sera peut-être déjà en adoration devant le pâtissier le plus proche.

Comment la conquérir

Plus vous prendrez de risques et plus vous lui plairez. Plus vous serez dominateur, et plus vous la séduirez. Elle désire avoir à ses côtés un prince charmant qui l'entraîne dans un tourbillon de sensations, qui la séduise de la façon la plus romantique possible.
En même temps, sa nature double la pousse à désirer des relations amoureuses avec quelqu'un qui l'aide à se libérer de ses propres inhibitions et qui l'amène à céder de la manière la plus tourmentée, mais aussi la plus gracieuse qui se puisse imaginer.
Sentimentale et visionnaire, elle s'abandonnera facilement à mille rêveries sur vous, et quand elle sortira de ses rêves et s'apercevra que vous n'étiez pas le prince charmant de son destin, elle fera appel à son opportunisme sain et concret : même si elle avait décidé de devenir une muse inspiratrice et d'adopter des ribambelles de petits orphelins, elle décidera d'épouser un homme aisé et solide, capable de lui donner une sécurité économique et affective, et sur l'épaule duquel elle pourra toujours s'appuyer pour pleurer.

Comment le quitter

Il faut prendre son courage à deux mains, car ce n'est pas une entreprise facile : s'il est persuadé qu'il a besoin de vous, vous devrez vraiment faire appel à toute votre dureté car il ne vous quittera sous aucun prétexte.
Obligez-le à prendre position et à s'exprimer sur tout ce qui se passe, des événements les plus importants aux choses les plus banales de tous les jours. Empêchez-le de se plaindre, mettez-le au pied du mur, cessez de le protéger et traitez-le en adulte. Exigez, par exemple, quelques beaux gestes de

courage et d'audace dont la simple idée le fera frissonner d'horreur. Gardez-vous bien de le gâter, de le choyer et de lui donner raison : il s'enfuira pour chercher ailleurs une personne plus compréhensive.

Comment la quitter

Il n'est pas facile de la quitter car elle semble très fragile et vulnérable, et elle donne l'impression que, infantile et désireuse de protection comme elle le paraît, elle ne pourra pas vivre longtemps sans vous.
En réalité, sa fragilité n'est qu'apparente, car elle réussit parfaitement à se consoler et à vous remplacer par la personne adéquate sans rien laisser paraître.
Si vous voulez la quitter, ne cédez pas à ses lamentations faciles, ni au chantage des larmes et des pleurs abondants dont elle vous inondera.
Dites-lui que les larmes vous irritent, et qu'au lieu de vous émouvoir, elles vous énervent.
Faites-lui mener une vie complètement organisée, bannissez des journées que vous passez ensemble l'oisiveté, la paresse, ne lui accordez pas un moment de pause, bref, imposez-lui une vie active et frénétique. Elle vous glissera entre les doigts avec une joie mal dissimulée, car elle adore avoir ses aises et elle a besoin de nombreux moments d'inactivité consacrés aux rêveries extatiques.

Comment ils rompent

Normalement, ils ne quittent jamais personne. Hésitants, indécis quand il s'agit de dire oui ou de dire non, ils traînent derrière eux des relations qui n'ont plus de sens, qui ne riment plus à rien, car ils ne savent pas rompre.

Il leur semble naturel de continuer à fréquenter leur partenaire habituel même lorsque tout est fini; ils se plaisent à demeurer dans le vague et l'indétermination qu'ils confèrent à toute chose, naviguant de part et d'autre de la relation.

Ils sont presque toujours incapables de couper le cordon ombilical de leurs amours, mais lorsqu'ils le font c'est parce qu'ils ne parviennent plus à supporter le poids des multiples relations que leur nature infidèle leur permet d'instaurer.

Table des matières

Achevé d'imprimer
en février 1996
à Milan, Italie, sur les presses de
Lito 3 Arti Grafiche s.r.l.

Dépôt légal : février 1996
Numéro d'éditeur : 4342